*história da* **Pedagogia**

# John Dewey

## As origens da educação progressiva

O filósofo da democracia
e sua importância para
a renovação educacional

Teresa Cristina Rego - Organizadora

1ª edição
São Paulo, 2018

**Editora Segmento**

Dados Internacionais de Catalogação na Publicação (CIP)
(Câmara Brasileira do Livro, SP, Brasil)

John Dewey : as origens da educação progressiva :
o filósofo da democracia e sua importância para
a renovação educacional / Teresa Cristina Rego,
organizadora. -- 1. ed. -- São Paulo : Editora
Segmento, 2018. -- (História da pedagogia)
Vários autores.
Bibliografia.
ISBN 978-85-89636-27-8
1. Dewey, John, 1859-1952 2. Educação - Filosofia
3. Educação - História 4. Pedagogia - História
I. Rego, Teresa Cristina. II. Série.
18-19129 CDD-370.9

Índices para catálogo sistemático:
1. Educação : História 370.9
2. Pedagogia : História 370.9
Cibele Maria Dias - Bibliotecária - CRB-8/9427

# *Introdução*

# NA CONTRAMÃO DA TRADIÇÃO

Este volume, o sexto da série História da Pedagogia, apresenta e examina traços da vida e obra do filósofo norte-americano John Dewey (1859-1952), autor que continua indispensável para todos aqueles que se interessam pelas humanidades de modo geral e, em particular, pelo campo da educação. Conhecer suas proposições é fundamental para entender aspectos da evolução das ideias e das práticas pedagógicas do Ocidente, já que Dewey teve um papel de destaque na oposição à educação tradicional e na construção de propostas renovadoras.

Nesta obra, os especialistas convidados – Marcus Vinicius da Cunha, Pedro Angelo Pagni, Marcos Antônio Lorieri, Leoni Maria Padilha Henning e Rita Pimenta – exploram com rigor e profundidade os fundamentos centrais da filosofia deweyana, além de situarem sua produção pedagógica no contexto de uma problemática filosófica e política mais ampla. Como avalia Marcus Vinícius da Cunha: "A identificação de Dewey com a área da pedagogia não é equivocada, mas não deve obscurecer o fato de que, no conjunto de sua obra, a proposição de uma nova concepção pedagógica faz parte de um marcante debate sobre a necessidade de construir uma nova ordem social – a democracia – e sobre os obstáculos que se interpõem a esse desejo".

Além de uma competente bibliografia comentada, o leitor poderá conhecer outras possibilidades de leituras e interpretações sobre a pedagogia inspirada na obra de Dewey, como a de Pedro Angelo Pagni, que analisa a tendência preponderante no Brasil de associar os postulados de Dewey à proposição "de um ensino que desconsideraria o papel do professor e do planejamento da matéria a ser ensinada e de um aprendizado por experiência que seria muito próximo ao senso comum. O equívoco dessa interpretação e das críticas que sucederam sobre as contribuições desse filósofo para a educação, sob nossa ótica, é o de não considerar sequer a relação da experiência com a sua concepção de linguagem e com a filosofia que, respectivamente, permitiriam vislumbrar a conotação social de seu pensamento e a sua articulação com a vida, dando contornos mais precisos e justos ao seu projeto filosófico e educacional".

Por essas e outras razões este é um livro que merece ser lido, não só pelos estudantes e jovens educadores, mas também por aqueles que já exercem o ofício há mais tempo. No cenário brasileiro Dewey é mais conhecido por sua reputação do que por uma leitura cuidadosa de seus textos. Esperamos que a leitura deste número instigue a curiosidade do leitor e o convide a fazer o estudo cuidadoso de uma obra que ainda tem muito a nos dizer no século XXI.

Vale informar que o conteúdo do presente livro foi originalmente publicado como um dos fascículos da Série História da Pedagogia, coleção especial da Revista Educação - Editora Segmento. Tal série – editada por Rubem Barros e por mim concebida e coordenada - foi vendida em bancas e livrarias de todo o país durante o ano de 2010, com expressiva receptividade do público leitor. Esta é a principal razão que nos motivou a publicar os textos das revistas em forma de livros.

**Teresa Cristina Rego** é professora
da Faculdade de Educação da USP

# EDUCADOR E FILÓSOFO DA DEMOCRACIA

por Marcus Vinicius da Cunha

Dewey concebeu a educação e a sociedade como campos abertos à experimentação de noções filosóficas sobre o homem, o conhecimento e a coletividade

John Dewey é conhecido por suas inovadoras teorias pedagógicas. Sua produção intelectual, no entanto, extrapola a área da pedagogia, pois o fundamento de suas teses educacionais encontra-se em uma sólida concepção filosófica, o Pragmatismo. Além de teórico, Dewey foi um ativista, tanto no âmbito da escola quanto no espaço mais amplo em que se delineavam os dilemas políticos de sua época. De maneira geral, pode-se dizer que a filosofia deweyana vê as ideias como hipóteses ativas elaboradas em situações práticas, só adquirindo significado quando testadas nessas mesmas situações. Por isso, Dewey concebeu a educação e a sociedade como campos abertos à experimentação de noções filosóficas sobre o homem, o conhecimento e a coletividade. Nesse constante experimentar, a democracia revelou-se, para ele, o principal sustentáculo da vida e da educação.

## O PERÍODO DE FORMAÇÃO

Falecido em 1º de junho de 1952, em Nova York, John viveu quase 93 anos. Os historiadores da filosofia o incluem entre os criadores do Pragmatismo, juntamente com outros três pensadores americanos que o antecederam: Charles Sanders Peirce, William James e George Herbert Mead, mortos respectivamente em 1914, 1910 e 1931. Essas datas revelam que Dewey, muito mais do que os seus antecessores, presenciou e tomou parte de acontecimentos que foram decisivos para configurar o mundo contemporâneo.

Em seu estudo sobre o Pragmatismo, John Murphy apresenta uma curiosa listagem desses acontecimentos, misturando fatos relevantes da história com referências extraídas do âmbito mais geral da cultura, mesmo da cultura popular. Eis alguns itens dessa listagem: a Primeira Guerra Mundial, Lawrence da Arábia, Pancho Villa, o Behaviorismo, Tarzan, a Teoria da Relatividade, a Revolução Russa, a Lei Seca, a BBC, Charlie Chaplin, o Jazz, a insulina, Pavlov, Matisse, o Empire State Building, Franz Kafka, Adolf Hitler, Greta Garbo, Mickey Mouse, o Círculo de Viena, Pearl Harbor, Hiroxima, a CIA, o nylon, o Dr. Spock, os transistores, a bomba de hidrogênio, a Cortina de Ferro etc.

Embora tenha sido um típico homem do século xx, Dewey nasceu em 20 de outubro de 1859, em uma pequena cidade chamada Burlington, no estado de Vermont, na região conhecida como Nova Inglaterra, extremo leste dos Estados Unidos, onde começou a colonização do país por imigrantes ingleses. Vermont não foi atingido pelo forte desenvolvimento industrial do país ocorrido na primeira metade do século xix, permanecendo eminentemente agrícola até o início do século seguinte. Nas pequenas propriedades rurais desenvolviam-se atividades industriais domésticas, garantindo trabalho para todos e uma vida comunitária sem grandes contrastes sociais e econômicos.

## CRONOLOGIA

1859
John Dewey nasce em Burlington, Vermont, Estados Unidos da América, no dia 20 de outubro.

1879
Gradua-se na Universidade de Vermont.

1879-1882
Trabalha como professor de ensino secundário em escolas de sua região natal.

1882
Ingressa na pós-graduação da Universidade Johns Hopkins, Baltimore.

**MARCAS DE UMA INFÂNCIA PROTESTANTE**

Filho de um proprietário de armazém cuja família havia chegado à América por volta de 1630, John Dewey teve a infância e a juventude marcadas por um estilo de escolarização desinteressante e desestimulante. Como ele mesmo admite, boa parte de sua educação foi realizada fora dos limites estreitos da escola, pois sua família tinha o hábito de atribuir pequenas tarefas às crianças, buscando despertar nelas o senso de responsabilidade. A família Dewey professava o credo protestante congregacionalista, que tinha por costume atribuir autonomia a cada comunidade, sem estabelecer uma ordem hierárquica rígida entre os adeptos. Os magistrados e os ministros eram eleitos diretamente, prevalecendo um espírito de igualdade que fazia do Congregacionalismo uma autêntica democracia religiosa. Não havendo constrangimento dogmático sobre os membros, o que unia a comunidade era a solidariedade mútua e a crença na vinculação de cada indivíduo a Cristo.

Dewey certamente assimilou à sua personalidade e às suas concepções intelectuais as lições da vida comunitária democrática que conheceu na infância e na juventude, articulando ideias filosóficas e educacionais que refletem justamente a confiança no indivíduo e na capacidade humana para buscar e exercer a liberdade, sem a rigidez imposta por dogmas e hierarquias.

Aos 15 anos, John Dewey concluiu os estudos secundários e ingressou na Universidade de Vermont. Ao cursar a disciplina de fisiologia, ficou profundamente impressionado pelas ideias de Thomas H. Huxley (1825-1895), biólogo inglês defensor e divulgador das teses de Darwin sobre a evolução das espécies. Foi isso o que despertou nele o

1884
Conclui seu Ph.D. na Universidade Johns Hopkins, com tese sobre Kant. Começa a trabalhar na Universidade de Michigan.

1886
Casa-se com Alice Chipman.

1887
Nasce seu filho Frederick Archibald. Publica Psicologia, seu primeiro livro.

1889
Nasce sua filha Evelyn Riggs.

1892
Nasce seu filho Morris.

interesse pelo estudo sistemático da filosofia. Mais tarde, em 1910, Dewey publicou um importante estudo mostrando a influência exercida pelo darwinismo na história do pensamento ocidental, sendo responsável por provocar uma reviravolta no modo como pensamos a vida. Nesse estudo, ao situar a contribuição de Darwin além do âmbito das ciências naturais, Dewey expressa as suas próprias convicções acerca da mutabilidade constante de todas as coisas que habitam o mundo, sejam elas físicas ou referentes à moral; para ele, nada é fixo, nada é predeterminado, nada segue um curso linear.

Em 1879, Dewey passou a lecionar em pequenas escolas de sua região natal, ingressando em 1882 na Universidade Johns Hopkins, no estado de Baltimore, onde se doutorou dois anos mais tarde com uma tese sobre a psicologia de Kant. O país vivia um momento histórico singular devido ao término da Guerra Civil (1861-1865) e ao intenso desenvolvimento industrial e comercial, ambiente que estimulava iniciativas educacionais inovadoras. Johns Hopkins foi uma das primeiras instituições a aderir aos novos ares, abrindo uma nova era para o ensino superior nos Estados Unidos. Nessa escola, Dewey manteve contato muito próximo com George S. Morris (1840-1889), também natural de Vermont, que o iniciou nos estudos de Hegel. Nas últimas décadas do século XIX, as concepções do filósofo alemão exerciam poderosa influência nos meios intelectuais americanos, e Morris, que havia estudado na Alemanha, era um dos mais destacados representantes dessa tendência. Em Hegel, Dewey encontrou, pela primeira vez, uma orientação segura no terreno das ideias, o que não havia encontrado na religião.

1894
Começa a trabalhar na Universidade de Chicago, Illinois, onde funda a Escola Laboratório, marcante experiência de inovação educacional.

1895
Em viagem à Europa, seu filho Morris morre de difteria.

1896
Nasce seu filho Gordon Chipman. Publica o ensaio "O Conceito de Arco Reflexo em Psicologia", analisando concepções da psicologia científica entao em voga.

1897
É eleito membro do Conselho Curador da Hull House, organização de assistência social dirigida por Jane Addams.

Morris foi também o responsável pelo início da carreira profissional de Dewey, ao convidá-lo para ingressar na Universidade de Michigan, em 1884, onde ele assumiu a direção do Departamento de Filosofia em 1889. O ambiente acadêmico de Michigan incentivava as responsabilidades e a liberdade dos jovens, levando Dewey a se interessar decisivamente por temáticas da educação, vinculando-as ao espírito democrático. O vínculo entre vivência democrática e experiência educacional iria tornar-se uma constante em sua obra, sendo profundamente examinado em um de seus livros mais conhecidos, Democracia e Educação, publicado em 1916. Em Michigan, Dewey integrou um clube de professores que organizava visitas periódicas aos colégios da região, promovendo palestras sobre assuntos variados, com o intuito de levar os estudantes secundaristas a se interessarem pela vida acadêmica.

Foi em Michigan que Dewey conheceu Alice Chipman, com quem se casou em 1886. O pai da jovem, descendente de uma família de pioneiros, era originário de Vermont, tendo ficado viúvo quando os filhos ainda eram pequenos. Alice foi educada pelos avós maternos, que incentivavam a liberdade de opinião dos netos, especialmente no tocante a assuntos religiosos. Alice não professava uma religiosidade dogmática; acreditava que as instituições eclesiásticas contribuíam mais para amortecer do que para promover a espiritualidade, a religiosidade natural das pessoas. Dos avós, Alice também herdou posicionamentos críticos acerca das desigualdades sociais de seu país. Alice exerceu sensível influência na formação de Dewey, para quem a vida deixou de ser formada por definições meramente intelectuais para assumir a

1899
Publica A Escola e a Sociedade, refletindo sobre as relações entre educação e vida social.

1899-1900
Preside a Associação Americana de Psicologia.

1900
Nasce sua filha Jane Mary.

1902
Publica "A Criança e o Currículo", ensaio editado no Brasil na coletânea Vida e Educação organizada por Anísio Teixeira em 1930.

1903
Publica "Condições Lógicas para um Tratamento Científico da Moralidade", editado no Brasil na coletânea A Valoração nas Ciências Humanas (2009).

conotação de envolvimento direto com os problemas concretos que o cercavam. Alice e Dewey tiveram 5 filhos, dos quais dois morreram ainda pequenos, em diferentes viagens dos pais pela Europa; logo após a morte do segundo, o casal adotou um menino na Itália. Alice faleceu em 1927. Quase vinte anos depois, aos 87 anos de idade, Dewey casou-se com Roberta Grant, então com 42 anos, e o casal adotou duas crianças.

### O ENCONTRO COM O PRAGMATISMO

Em Michigan, Dewey manteve intenso relacionamento intelectual e de amizade com James H. Tufts (1862-1942), com quem publicou mais tarde, em 1908, o livro Ética. Na mesma instituição de ensino, conheceu George Herbert Mead, contratado em substituição a Tufts, que havia se transferido para a Universidade de Chicago. A partir da década de 1890, Dewey passou a manter intercâmbio frequente com as teses psicológicas de Mead, que caracterizava o cérebro e o sistema nervoso como instâncias reguladoras das relações do organismo com os componentes objetivos da vida. Esse posicionamento colocava Mead na contramão das teorias psicológicas então vigentes, que viam o organismo e o ambiente como elementos isolados e estanques, sem interação mútua.

Em Michigan, Dewey entrou em contato com os escritos de William James, particularmente o livro Princípios de Psicologia, publicado em 1890, passando a recomendá-lo a seus alunos. As ideias de James atraíram fortemente seu interesse, reorientando todo o seu pensamento filosófico, até então inclinado na direção de Hegel. As teses psi-

1904
Começa a trabalhar na Universidade de Colúmbia, em Nova York. Em viagem à Europa, morre seu filho Gordon.

1905
Na Itália, adota Sabino, de 5 anos de idade.

1905-1906
Preside a Sociedade Americana de Filosofia.

1908
Publica Ética, em coautoria com J. H. Tufts.

cológicas jamesianas representavam um rompimento com a tradição atomista da Psicologia de então, pois, em vez de tratar o pensamento como um aglomerado de ideias e sensações localizadas em compartimentos separados e estanques, sugeriam que a consciência deve ser descrita pela noção de continuidade, representando estados transitórios, processos, não elementos isolados.

À parte eventuais divergências entre as visões filosóficas de James e Mead, é fácil notar que ambos sustentavam concepções semelhantes, situando a mente como instância de mediação entre o organismo e o meio social. Dewey adotou essas ideias integralmente; uma das principais formulações de sua filosofia é, justamente, a defesa de que o pensamento e a mente são instâncias dotadas de função instrumental, cuja relevância reside em estabelecer a continuidade entre o homem e o mundo. Esse modo de pensar é o que caracteriza o Pragmatismo, corrente filosófica que teve diversos fundadores – James, Mead e o próprio Dewey. Cada qual desenvolveu estudos em um campo específico, convergindo entre si em determinadas problemáticas e formulações, divergindo em outras, mas todos vinculados aos mesmos princípios gerais. Por causa da pluralidade de abordagens e de temáticas que se verifica entre os seus fundadores, há estudiosos que preferem caracterizar o Pragmatismo não como uma corrente filosófica, no sentido estrito do termo, mas como uma visão do mundo, uma atitude perante a vida, um modo de pensar e de enfrentar problemas.

No grupo dos criadores do Pragmatismo, um autor fundamental é Charles Sanders Peirce, talvez o primeiro a usar o termo pelo qual passou a ser designada essa filosofia. Há controvérsia sobre isso: a pala-

1910
Publica Como Pensamos, em que formula a noção de pensamento reflexivo (versão brasileira publicada em 1933). Publica "A Influência de Darwin na Filosofia". Integra a Academia Nacional de Ciências.

1913
Publica "Interesse e Esforço em Educação", ensaio também editado em Vida e Educação.

1916
Publica Democracia e Educação, obra que sintetiza sua visão filosófica, política e educacional (versão brasileira publicada em 1936). Publica Essays in Experimental Logic.

vra pragmatismo apareceu impressa pela primeira vez em um texto de James, inclusive dando nome a um de seus livros em 1907; mas, em comunicações orais públicas, Peirce já vinha utilizando praticismo, com a mesma conotação. Trata-se de uma querela de menor importância, de fato. O que interessa, como explica Murphy, é que os dois autores vinculavam o cerne da filosofia então nascente à palavra grega pragma, que significa ação, da qual se originaram prática e prático.

Das visões filosóficas de James e Peirce, diferentes entre si em muitos aspectos, interessa compreender certos elementos que certamente compuseram a formação intelectual de Dewey. De James, cabe destacar o marcante questionamento ao sentido usualmente atribuído em filosofia à palavra verdade. Para James, o que torna uma ideia verdadeira não é uma propriedade inerente a ela mesma; uma verdade torna-se verdadeira no decorrer dos acontecimentos, no interior do processo de verificação de sua validade. O verdadeiro, portanto, é uma elaboração que se faz no interior do caminho que percorremos ao agir sobre o que julgamos verdadeiro. É desse modo que são produzidas as crenças que tomamos por verdadeiras, válidas, confiáveis, aquelas que nos podem trazer benefícios imediatos e futuros. Da filosofia peirciana, vale mencionar a sua teorização sobre o pensamento. Para Peirce, a ação de pensar é incitada por uma dúvida, e a função do pensamento consiste em nos lançar em busca da cessação dessa mesma dúvida, o que corresponde, por fim, ao estabelecimento de uma crença. O trajeto percorrido entre a dúvida e a crença é denominado inquérito ou investigação.

1919
Ministra conferências no Japão.

1920
Publica Reconstrução em Filosofia, analisando a tradição filosófica e propondo novos rumos para a filosofia (editado no Brasil na década de 1930).

1921
Ministra conferências na China.

1922
Publica Natureza Humana e Conduta, em que discute as principais correntes psicológicas contemporâneas.

Como se pode notar, tanto James quanto Peirce abordam conceitos – verdade e crença – que tradicionalmente significam coisas bem definidas, estáveis, imutáveis, como se pertencessem a uma instância situada acima da ação humana. Seguindo as orientações pragmáticas de James e Peirce, no entanto, devemos compreender verdade e crença como resultantes de processos de ação próprios da vida que vivemos neste mundo, o mundo da transitoriedade; verdades e crenças, portanto, são passíveis de alteração, são plataformas que o homem utiliza para se lançar na incessante busca por realização. Seguidor das lições dos pragmatistas que o antecederam, Dewey pensou a educação também assim: todas as nossas convicções acerca de formulações teóricas e metodológicas, todas as nossas certezas – acerca de nós mesmos como profissionais e de nossa relação com nossos alunos e com o conhecimento que desejamos ensinar – devem ser vistas como hipóteses; somente a prática pode revelar o quanto de verdade as nossas certezas contêm.

**OUTRAS INFLUÊNCIAS**

Nessa mesma linha de pensamento, também foram relevantes para a formação das convicções de Dewey as ideias e iniciativas do jurista Oliver Wendell Holmes Jr., que presidiu a Suprema Corte entre 1902 e 1932. Holmes foi um ferrenho abolicionista, com atuação marcante na Guerra Civil; amigo do poeta Ralph Waldo Emerson (1803-1882), foi também literato e responsável por criar e dirigir importantes revistas de divulgação de temas relacionados às artes e à jurisprudência. Suas reflexões foram vitais para firmar as noções fundadoras do liberalismo

1924
Desenvolve estudos na Turquia.

1925
Publica Experiência e Natureza, aprofundando sua visão filosófica.

1925-1926
Membro do Conselho Curador da Fundação Chinesa para a Promoção da Educação e da Cultura.

1926
Desenvolve estudos no México.

americano, como a confiança na inteligência, na liberdade de pensamento e no caráter experimental da vida, princípios que estiveram à frente da constituição dos Estados Unidos como nação.

Em seu livro sobre a história das ideias na América (The Metaphysical Club: a Story of Ideas in America), Louis Menand diz que Holmes, James, Peirce e Dewey foram responsáveis, mais do que qualquer outro grupo, por impulsionar os Estados Unidos em direção ao mundo moderno. Eles tiveram não apenas "uma influência sem paralelo sobre outros escritores e pensadores", como também tiveram "uma enorme influência sobre a vida americana", pois as suas ideias mudaram – e continuam mudando – o modo como certos temas contemporâneos fundamentais são pensados: "educação, democracia, liberdade, justiça e tolerância". Todos eles acreditavam que "as ideias não estão 'lá fora' esperando para serem descobertas"; as ideias são "ferramentas – como garfos e facas e microchips – que as pessoas inventam para enfrentar o mundo em que elas se encontram", conclui Menand.

## AS EXPERIÊNCIAS DE CHICAGO

Acompanhado por George Mead, John Dewey deixou Michigan em 1894 e ingressou na Universidade de Chicago, no estado de Illinois, onde já se encontrava James Tufts, seu antigo colega de trabalho e amigo. Dewey trazia de lá as bases de sua filosofia, já bem constituídas pelo contato com as teses dos primeiros pragmatistas; trazia também uma visão crítica da sociedade e uma crença arraigada na democracia como modo de vida, constituídas desde a infância e aprimoradas no convívio com Alice e com o ambiente acadêmico de Michigan.

1927
Publica O Público e seus Problemas, obra de análise política da sociedade contemporânea. Morre sua esposa Alice.

1928
Participa da criação da Liga pela Ação Política Independente. Desenvolve estudos na União Soviética.

1929
Publica Impressões da Rússia Soviética e do Mundo Revolucionário, sendo acusado de comunista, e A Busca da Certeza, propondo uma filosofia inspirada na mecânica quântica.

1930
Aposenta-se como professor emérito da Universidade de Colúmbia. Publica Individualismo, Velho e Novo.

Sua bagagem intelectual continha ainda as sensíveis lições de um professor da geração que o antecedeu: Francis W. Parker (1837-1902), originário de Vermont, eficiente administrador de instituições de ensino e um dos pais do Progressivismo, o movimento de renovação educacional que mudou as bases da educação nos Estados Unidos. Sua influência sobre Dewey deu-se pelo exemplo de uma personalidade afetuosa no trato com professores e alunos e por suas iniciativas inovadoras na educação. Para Parker, o valor primordial que deve reger as relações escolares é o contato subjetivo do mestre com os alunos, envolto em clima de liberdade, ajuda mútua, simpatia e amor.

O que atraiu Dewey para Chicago foi a possibilidade de reunir, em um mesmo Departamento, sob a sua direção, estudiosos da filosofia, da psicologia e da pedagogia. Contando com Tufts, Mead e novos colegas, como Ella Flagg Young (1845-1918), Dewey organizou uma escola de ensino elementar em bases inovadoras, com o objetivo de verificar a aplicabilidade de suas concepções filosóficas e psicológicas e incentivar a criação de novos métodos e técnicas de ensino. Sua esposa, Alice, atuava como professora e diretora da escola. Os princípios por eles adotados contrariavam frontalmente os pilares do ensino tradicional, fundamentado na ordem, na disciplina e na passividade dos estudantes. Tratava-se de uma verdadeira experiência educacional, razão pela qual a instituição ficou conhecida como Escola Laboratório.

O livro de Vera Valdemarin sobre a história dos métodos de ensino – História dos Métodos e Materiais de Ensino: a Escola Nova e seus Modos de Uso – esclarece o princípio psicológico central da Escola Laboratório: "o desenvolvimento humano só ocorre no conta-

1931
É eleito vice-presidente da União Americana pela Reciprocidade. Membro da União Americana pelas Liberdades Civis.

1932
Publica uma versão revista de Ética, com J. H. Tufts.

1933
É eleito vice-presidente da Associação Americana de Relações Culturais com a Rússia. Publica uma versão revista de Como Pensamos (versão brasileira em 1953).

1934
Publica Arte como Experiência, síntese de suas concepções estéticas. Viaja à África do Sul.

to com outras pessoas e outros ambientes"; por isso, cabe à instituição de ensino criar condições para a criança integrar-se ao grupo, que deve ser organizado nos moldes de uma "sociedade simplificada" que dá continuidade à vida no lar. O ponto de partida era "o impulso da criança para a ação e para responder ao ambiente"; os educadores selecionavam "matérias e procedimentos pedagógicos para que houvesse a mesma atitude, o mesmo interesse e a mesma valorização encontrada nas atividades cotidianas". O conteúdo escolar era escolhido em resposta às seguintes questões: "quais conhecimentos são capazes de dar à criança capacidade de se expressar de várias formas? Como tornar as ciências e as artes significativas na experiência da criança? Como os ramos formais da aprendizagem – ler, escrever e compreender inteligentemente – podem constituir a base para outros estudos? Como guiar a criança no processo de acumulação contínua de experiências?"

Os relatórios da Escola relativos aos anos de 1899 e 1900 consultados por Valdemarin permitem observar que os alunos eram distribuídos em sete grupos, segundo a faixa etária. Os dois primeiros eram compostos por crianças de 4 e 5 anos; e o sétimo, por alunos de 10. O funcionamento dos Grupos i e ii é bastante ilustrativo do espírito da Escola: naqueles anos, foram focalizadas atividades domésticas, funcionando a sala de aula como uma casa, com "grandes janelas e lareira, com mesas e cadeiras necessárias para o trabalho e para o almoço diário"; as conversas abordaram as ocupações dos pais e das mães, enquanto as encenações colocaram os alunos para desempenhar papéis de outros membros da família; conversou-se sobre os afazeres da vizinhança, do carteiro e do merceeiro; professores e

1935
Publica Liberalismo e Ação Social, obra de análise política publicada no Brasil na coletânea Liberalismo, Liberdade e Cultura organizada por Anísio Teixeira (1971).

1937
Preside a comissão de inquérito que analisa os processos de Moscou contra Leon Trotski, no México, concluindo pela inocência do revolucionário russo.

1938
Publica Lógica: A Teoria da Investigação, síntese de suas proposições lógicas, e Experiência e Educação, editado no Brasil em 1971.

alunos saíram para visitar a redondeza e conhecer as ocupações profissionais da localidade. Valdemarin conclui que o trabalho lá realizado tinha por objetivo articular a "iniciativa pessoal" com um "plano maior", partindo sempre do interesse da criança com o intuito de atribuir "significação para a vida social", sem colocar "as habilidades acadêmicas em primeiro plano".

Em sua passagem por Chicago, Dewey integrou-se às atividades da Hull House, instituição ainda hoje existente, fundada em 1889 por Jane Addams (1860-1935) e Ellen Gates Starr (1859-1940) e instalada em um prédio doado pelo milionário Charles J. Hull. Seu exemplo era a settlement house inglesa, criada em 1884 por Toynbee Hall, cujo objetivo era oferecer à classe trabalhadora oportunidades de inserção social e educacional. Dirigida por Jane Addams, a Hull House divergia dos ideais de assistência e filantropia comuns naquela época em todo o mundo, buscando propiciar aos trabalhadores um espaço de vivência democrática e ajuda mútua e, ao mesmo tempo, proporcionar aos jovens de classe média, que lá atuavam como residentes, a oportunidade de tomarem consciência dos desequilíbrios e injustiças da ordem social.

O relacionamento entre os frequentadores da Hull House era fundamentado em princípios amplamente democráticos, o que serviu para aprofundar sobremaneira as convicções de Dewey nessa forma de convivência humana. O contato com aquele ambiente, guiado principalmente pelo espírito empreendedor de Jane Addams, contribuiu para solidificar em Dewey uma visão acerca da vida em sociedade e das relações entre as classes sociais no mundo contemporâneo.

1939
Publica "Liberdade e Cultura", também incluído em Liberalismo, Liberdade e Cultura, e "Teoria da Valoração", ensaio que integra a coletânea A Valoração nas Ciências Humanas (Brasil, 2009)

1942
Membro do Comitê de Defesa dos Direitos Civis.

1946
Casa-se com Roberta Lowitz Grant. O casal adota duas crianças, John e Adrienne.

1952
John Dewey morre em Nova York, no dia 1º de junho.

**ANOS DECISIVOS**

Para entender as ações da Hull House e o envolvimento de Dewey com as problemáticas sociais de seu tempo, bem como as suas teorizações filosóficas e pedagógicas, é importante observar o contexto geral da época nos Estados Unidos e, particularmente, em Chicago, como faz Carlos Octávio Moreira em seu livro sobre Dewey. Durante o século XIX, o país viveu um intenso processo de urbanização e industrialização; em 1890, somente 35% da população ainda vivia no campo, o que desencadeou o conhecido fenômeno de metropolização, que cria e torna evidentes os contrastes sociais. A partir de então, as lutas sindicais tornaram-se cada vez mais acirradas, intensificando-se logo no início do século seguinte. Em menos de 20 anos, entre 1871 e 1890, a população de Chicago passou de 298 mil para 1 milhão de habitantes, colocando-se como a segunda maior cidade da América do Norte. Os imigrantes que aportavam em todo o país e a atuante classe média que se formava rapidamente modificaram substancialmente o perfil profissional e étnico da comunidade, alterando radicalmente sua composição cultural.

Em 1904, Dewey rompeu com a Universidade de Chicago devido a discordâncias quanto aos direcionamentos que vinham sendo dados à Escola Laboratório pelas instâncias superiores da instituição. Os dez anos que lá permaneceu, no entanto, são considerados cruciais para o avanço de sua produção intelectual, pois, como destaca Vera Valdemarin, foi com base nas experiências daquela época que Dewey formulou as proposições educacionais que se encontram em várias de suas obras. Meu Credo Pedagógico (1897), Escola e Sociedade (1899), A Criança e o Currículo (1902) e A Situação Educacional (1902), por exemplo, foram publicados enquanto Dewey ainda se encontrava em Chicago, já expressando as linhas gerais de sua filosofia educacional. Livros posteriores – Como Pensamos (1910) e Democracia e Educação (1916), por exemplo – que trazem formulações teóricas mais elaboradas são igualmente frutos de sua vivência na Escola Laboratório. Ainda em Chicago, ao escrever Condições Lógicas para um Tratamento Científico da Moralidade (1903), Dewey deu início a um ambicioso projeto de revisão da teoria lógica, o que só foi concluído anos depois, conforme veremos logo mais.

## A CONSOLIDAÇÃO TEÓRICA E A PROJEÇÃO INTERNACIONAL

Em 1905, John Dewey ingressou na Universidade de Colúmbia, na cidade de Nova York, graças ao convite de J. McKeen Cattell (1860-1944), eminente estudioso da psicologia, seu amigo dos tempos de Johns Hopkins. Naquela escola, integrou-se ao Teachers College, importante centro especializado em assuntos educacionais criado em 1887 e logo em seguida incorporado à Universidade. Em 1930, aposentou-se, permanecendo no corpo docente como professor emérito. No período iniciado com sua ida para Colúmbia e continuado após a sua aposentadoria, Dewey produziu um conjunto de obras sobre temáticas diversas, incluindo a educação, evidentemente, dedicando-se a consolidar e ampliar os parâmetros básicos de sua filosofia, tendo em vista as aceleradas mudanças havidas nas escolas e nos campos da ciência, da política e da cultura, de modo geral.

Seus escritos mais importantes dessa época podem ser agrupados *grosso modo* em três categorias, cabendo lembrar que assuntos específicos sempre foram tratados por ele à luz da reflexão filosófica:

Na primeira categoria, Dewey continuou discutindo a educação e propondo soluções inovadoras para a prática pedagógica, utilizando, para isso, o conceito de experiência, que é um dos pontos fundamentais de sua teoria do conhecimento. Pertencem a essa categoria os seguintes livros: Como Pensamos (1910, revisto em 1933), Democracia e Educação (1916) e Experiência e Educação (1938).

Na segunda, a maior parte de sua produção, no entanto, é composta por textos que não abordam – diretamente, pelo menos – temáticas educacionais. Dewey dedicou-se a aprofundar e alargar sua visão filosófica, examinando minuciosamente a história da filosofia. Nessa categoria encontram-se Ethics, em coautoria com James H. Tufts, de 1908 (revisto em 1932), Reconstrução em Filosofia (1920), Natureza Humana e Conduta (1922), Experiência e Natureza (1925), A Busca da Certeza (1929), Arte como Experiência (1934) e Teoria da Valoração (1939). Merece destaque o livro Lógica: Teoria da Investigação, de 1938, que concluiu seu projeto de revisão da teoria lógica iniciado em 1903 com Condições Lógicas para um Tratamento Científico da Moralidade; o tema já havia sido abordado em Como Pensamos, aplicado à educação, e em Ensaios sobre Lógica Experimental (1916).

Na última categoria, Dewey discute a noção de democracia, termo essencial de sua proposta pedagógica, não se restringindo ao campo estritamente teórico. Como homem integrado aos grandes temas políticos, sociais e culturais de sua época, ele produziu trabalhos em que reflete sobre a situação do mundo contemporâneo. São exemplos: O Público e seus Problemas (1927), Individualismo Novo e Velho (1930), Uma Fé Comum (1934), Liberalismo e Ação Social (1935) e Liberdade e Cultura (1939).

No período em que Dewey trabalhou na Universidade de Colúmbia, seu nome tornou-se conhecido e respeitado em diversos países, além dos Estados Unidos, uma vez que as suas proposições pedagógicas atendiam ao anseio de muitos educadores descontentes com os moldes tradicionais de ensino. O que contribuiu para aumentar a projeção de Dewey foi o empenho de William H. Kilpatrick (1871-1965), professor do Teachers College, que, incorporando as proposições gerais deweyanas, investiu na criação de um método, um "conjunto de procedimentos unificados" – como diz Valdemarin – que fosse praticável, servindo de guia para o trabalho dos professores. Kilpatrick pressupunha que "os indivíduos se engajam numa vida virtuosa e democrática por meio de atos intencionais"; esses atos, portanto, "devem ser os elementos unificadores das atividades escolares", assumindo a forma de "projetos coletivos" semelhantes "às situações presentes na vida". Vem daí a denominação Método de Projetos, pela qual ficou famoso o trabalho de Kilpatrick.

## DEWEY E ANÍSIO TEIXEIRA

Entre o final dos anos de 1910 e o término da década seguinte, John Dewey visitou vários países, desenvolvendo estudos e proferindo conferências: Japão, China, Turquia, México e União Soviética, entre outros. Em 1929 publicou Impressões da Rússia Soviética e do Mundo Revolucionário, no qual relatou suas viagens e examinou aspectos da vida cultural, política e educacional dos países visitados. Esse livro e as declarações que deu à imprensa nos Estados Unidos provocaram a ira de intelectuais conservadores, que acusaram Dewey de bolchevique, vermelho, comunista. Ecos dessa reação chegaram ao Brasil, atingindo especialmente Anísio Teixeira, que havia estudado no Teachers College no final dos anos de 1920, convertendo-se ao Pragmatismo deweyano. Teixeira, que então se projetava como um dos líderes do movimento Escola Nova, havia se tornado o principal divulgador de Dewey, incorporando suas ideias e buscando aplicá-las a iniciativas concretas de renovação educacional.

O desenrolar da história mostrou que Dewey não se alinhara ao marxismo ou a qualquer outra teoria que pregasse a transformação social por meios abruptos. Em seus escritos políticos, mencionados na terceira categoria acima, nota-se claramente que, para ele, o caminho para uma sociedade futura mais justa e igualitária era – e sempre havia sido – a democracia. Os textos a respeito de suas viagens mostram que as boas impressões que ele teve acerca do mundo revolucionário deviam-se à profunda transformação psicológica e moral que vinha ocorrendo naqueles países, bem como ao esforço empreendido na valorização da classe trabalhadora, objetivo que ele já defendia em seu país. Sobre a União Soviética, em particular, Dewey teceu comentários elogiosos ao processo educativo dirigido por fins sociais amplos e bem definidos, assim como ao envolvimento das famílias nas escolas e aos projetos das colônias de férias infantis. Tudo parecia articulado dentro de um plano sistemático de ação social que valorizava os indivíduos e, ao mesmo tempo, a reconstrução da sociedade – como ele mesmo pregava em seus livros.

As impressões de Dewey sobre a vida política soviética mudaram sensivelmente ao longo da década de 1930, especialmente por causa de seu envolvimento no processo que examinou a situação de Lev Davidovich Bronstein (1879-1940), conhecido como Leon Trotski, parceiro de Lenin na Revolução Soviética de 1917. Trotski sofria perseguições desde meados dos anos de 1920, sob a acusação de conspirar contra o regime comunista; deportado da URSS (ex-União das Repúblicas Socialistas Soviéticas) em 1929, sem ter a oportunidade de se defender no processo instaurado por Moscou, o revolucionário encontrava-se exilado no México. Nos Estados Unidos, liberais e simpatizantes comunistas formaram uma comissão, presidida por Dewey, para analisar o caso, por meio de um extenso levantamento documental, incluindo audiências com Trotski e outros envolvidos, para emitir um pronunciamento perante a opinião pública mundial a respeito do assunto.

Expressando a conclusão dos trabalhos da comissão, Dewey considerou falaciosas as imputações de crime contra o acusado e denunciou que os dirigentes soviéticos pretendiam, na verdade, eliminar a oposição política – em nada criminosa – representada por Trotski. Esse episódio serviu para aclarar os conhecimentos que Dewey possuía a respeito da URSS. Tornou-se patente, para ele, que os métodos empregados pelo governo comunista eram semelhantes aos da Alemanha nazista e que a democracia soviética não passava de uma ditadura sobre o proletariado, não do proletariado. O episódio serviu também para fortalecer o movimento contrário a Dewey já existente naquele país, colocando seu nome na lista dos autores proibidos de circular na União Soviética, juntamente com outros pensadores, inclusive soviéticos – como Vigotski, por exemplo.

# Biografia Intelectual

# NOME DO PRAGMATISMO

por Marcus Vinicius da Cunha

Membro de uma constelação de pensadores norte-americanos, Dewey exerceu forte influência sobre a educação brasileira, tendo no escolanovista Anísio Teixeira um de seus seguidores

A filosofia de Dewey resultou da incorporação e do desenvolvimento das ideias de vários pensadores que o antecederam, dentre os quais dois filósofos e um jurista, bem como das teses de um contemporâneo seu – todos nascidos nos Estados Unidos. Sua influência atravessou o século XX, chegando à atualidade, como se pode constatar pela produção de três outros pensadores também americanos e de um brasileiro.

**Charles S. Peirce (1839-1914)**
Filósofo, introdutor das bases da semiótica contemporânea, considerava a dúvida o elemento iniciador da investigação, processo que leva a crenças, não a verdades.

**William James (1842-1910)**
Filósofo influente na psicologia, defendeu que a consciência deve ser descrita pela noção de continuidade, envolvendo mecanismos dinâmicos, não elementos estanques.

**Oliver W. Holmes Jr. (1841-1935)**
Jurista, presidiu a Suprema Corte americana, afirmando a inteligência, a liberdade de pensamento e o caráter experimental da vida como fatores fundamentais para definir o homem.

← Influenciou Dewey

→ Influenciados por Dewey

**William H. Kilpatrick (1871-1965)**
Criou o Método de Projetos, que valoriza a experiência e o interesse do educando como meios para o aprendizado, contrariando os métodos tradicionais baseados na passividade e na memorização.

**Anísio S. Teixeira (1900-1971)**
Educador e administrador de instituições públicas de ensino e pesquisa entre as décadas de 1920 e 1960, foi o principal divulgador e o mais fiel seguidor das concepções deweyanas no Brasil.

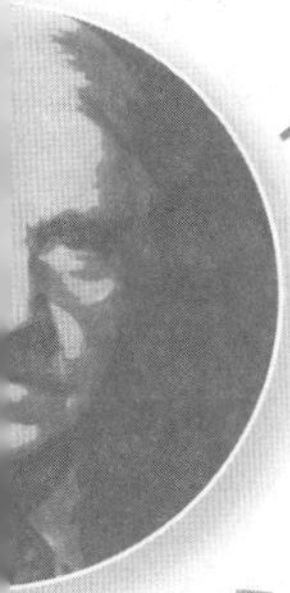

**Richard Rorty (1931-2007)**
Em A Filosofia e o Espelho da Natureza (1979), retomou o antifundacionismo característico do Pragmatismo, rejeitando a noção de mente como instância de representação da realidade.

**George H. Mead (1863-1931)**
Filósofo, colega de trabalho e amigo de Dewey, contribuiu para o surgimento de escolas interacionistas na psicologia social, estabelecendo que a mente emerge de processos sociais.

**Jim Garrison (1949-)**
Em trabalhos recentes, como Dewey and Eros, desenvolve e atualiza concepções pragmatistas, destacando os fatores afetivos, emocionais e estéticos na filosofia educacional deweyana.

# *Principais teses*

# UMA FILOSOFIA DA EXPERIÊNCIA

por Marcus Vinicius da Cunha

Para Dewey, a proposição de uma nova concepção pedagógica faz parte de um debate sobre a necessidade de construir uma nova ordem social – a democracia – e sobre os obstáculos que se interpõem a esse desejo

As contribuições originais de John Dewey à filosofia começaram a ser elaboradas quando de seu ingresso na Universidade de Michigan, em 1884, ocasião em que ele se aproximou do Pragmatismo de William James, Charles S. Peirce e George H. Mead. Sendo o Pragmatismo um posicionamento diante da vida, antes mesmo de uma Filosofia, no sentido estrito do termo, é possível dizer que a visão filosófica de Dewey foi construída não só por sua vivência acadêmica, mas também – e talvez principalmente – por sua imersão no espírito empreendedor típico dos americanos. Assim, as iniciativas de Oliver Wendell Holmes Jr. e Francis W. Parker, a atuação da Hull House e os embates sociais de sua época, entre tantos outros fatores, compuseram o pano de fundo em que se originou a filosofia deweyana.

As iniciativas de Dewey na Escola Laboratório da Universidade de Chicago, a partir de 1894, sugerem que as suas concepções filosóficas já eram bastante maduras naquele momento, encontrando na educação escolar o campo ideal para serem postas em ação e reformuladas na prática – como é, aliás, a orientação pragmatista. Seu amadurecimento já era completo quando ingressou no Teachers College da Universidade de Colúmbia em 1904, o que se refletiu em sua produção educacional, como nas obras Como Pensamos (1910) e Democracia e Educação (1916), por exemplo. No entanto, foi somente em 1920 que Dewey publicou seu primeiro livro inteiramente dedicado a temáticas filosóficas; mais precisamente, dedicado a um balanço das tendências do pensamento ocidental, no intuito de estabelecer as bases de uma nova Filosofia.

Esse livro é Reconstrução em Filosofia, originado de conferências proferidas no Japão em 1919, em que Dewey apresenta o essencial de sua crítica à concepção filosófica tradicional, o pensamento que se desenvolveu desde a Grécia Clássica e que atribui certo significado à experiência humana, no que tange à aquisição do conhecimento. Segundo Dewey, o sustentáculo desse pensamento é a crença em um "poder que transcenda, na origem e por seu conteúdo, toda e qualquer experiência concebível"; somente esse poder seria capaz de "alcançar autoridade e direção universal, necessária e certa". A tradição filosófica é permeada por forte dualismo entre o intelecto e o corpo, entre a razão e os sentidos, caracterizando a experiência humana no mundo físico como "defeituosa" e sustentando que "universalidade" e "certeza" são elementos que só podem ser encontrados "acima da experiência, na região do racional e do conceptual".

No livro Experiência e Natureza, publicado alguns anos depois, em 1925, Dewey complementa essa análise dizendo que, segundo a tradição filosófica, a experiência é demasiadamente casual e esporádica, não oferecendo, por isso, nenhuma base sólida para o conhecimento; pior ainda, a experiência constitui um obstáculo ao conhecimento, como se fosse um véu a nos separar da natureza. Os gregos da Era Clássica já concebiam não haver nada de pessoal ou subjetivo na experiência, sendo a natureza a única responsável por estabelecer as normas a que se devem sujeitar os homens e suas instituições. Essa noção teve continuidade mais tarde, na Idade Média, com as devidas adequações à interpretação teológica que passou a vigorar e predominou, de maneira hegemônica, por séculos.

Para compreender a mentalidade firmada por essa tradição filosófica criticada por Dewey, basta mencionar a conhecida parábola da caverna narrada por Platão (428-348 a.C.) em A República. O filósofo de Atenas lança mão de uma analogia entre o mundo em que vivemos e um imaginário mundo habitado por homens que jamais viram as coisas como elas verdadeiramente são, contentando-se com as sombras dos objetos projetadas nas paredes do limitado espaço em que estão aprisionados. Platão diz que tais sombras correspondem às nossas experiências sensoriais, marcadas pela multiplicidade, pela transitoriedade, pela contingência. A verdade não está ali, mas em um plano superior em que se podem contemplar as Ideias, os objetos em sua forma conceitual e imutável. Os pensadores medievais, guiados pela imagem de Platão elaborada por Santo Agostinho, identificaram esse plano supra-humano com a vontade divina e firmaram a crença de que a experiência humana só tem valor quando autorizada pelo que está disposto nas Sagradas Escrituras, segundo a interpretação da Igreja.

## IDEALIZAÇÕES MODERNAS

Em Reconstrução em Filosofia, Dewey também examina a revolução provocada pelos filósofos da Era Moderna, tidos como fortes opositores do pensamento medieval e, consequentemente, da tradição vinda da Grécia. No entanto, Dewey considera que os modernos não divergiram substancialmente de seus antecessores, uma vez que trocaram a esfera transcendental, em que os demais julgavam encontrar a verdade, por um poder igualmente situado no terreno das idealizações. Esse novo poder era, para alguns, a capacidade racional que o homem possui pelo simples fato de ser homem, um potencial inato que responde pela constituição do mundo, tal qual ele se apresenta. Embora tenha sido importante para sustentar o ímpeto do homem para fazer ciência, segundo os moldes da modernidade, como se encontra nas formulações de René Descartes (1596-1650), o racionalismo moderno instituiu uma entidade absoluta tão idealizada quanto o mundo platônico das formas imutáveis.

Outros pensadores da mesma época, como Francis Bacon (1561-1626) e John Locke (1632-1704), buscaram subverter a tradição filosófica por meio de noções opostas às sustentadas pelos racionalistas, propondo serem os sentidos o meio pelo qual o homem tem acesso ao conhecimento. Igualmente interessados em justificar o anseio do homem por desvendar e exercer controle sobre a natureza, os empiristas rejeitaram a concepção que privilegia o intelecto como instância suprema; em troca, firmaram o valor supremo dos dados sensoriais, deixando à mente a função de articular o material oriundo do exterior. Dewey considera que essa visão filosófica resultou de um posicionamento político contrário a qualquer instituição ou crença que reivindicasse a sanção de ideias inatas, absolutas, fundadas em poderes autoritários. Assim, os empiristas desempenharam um importante papel social, ao defenderem que as formas de organização da sociedade provinham, em última instância, da experiência.

## RACIONALISTAS VERSUS EMPIRISTAS

Diante desse quadro, Dewey analisa que a Era Moderna inaugurou uma nova etapa do debate filosófico, agora representado pela oposição entre racionalistas e empiristas. Os primeiros foram acusados de idealistas, continuadores das tradições grega e medieval. Os segundos, por sua vez, foram rechaçados como defensores de uma noção de conhecimento que não oferece nada além de dados caóticos particulares e isolados, amontoados de impressões captadas pelos sentidos, sem a menor possibilidade de oferecer a regularidade e a certeza necessárias à ciência. Dewey valoriza a conexão entre a modernidade e os métodos científicos que permitiram dominar a natureza de modo objetivo, liberando o indivíduo de uma suposta autoridade superior. Tais avanços, no entanto, foram insuficientes para superar os dilemas da tradição, pois, em vez de um plano supra-humano a comandar as ações humanas, ergueram o império das faculdades mentais; a discussão deixou de ser fundamentada em noções metafísicas para se submeter ao crivo epistemológico. Nem as filosofias do século XIX, com Kant (1724-1804) e Hegel (1770-1831), conseguiram realizar a esperada superação, apenas contribuindo para dar continuidade aos dualismos típicos do pensamento filosófico: razão, mente e inteligência versus corpo, sentidos e experiência.

O diagnóstico de Dewey acerca das várias concepções filosóficas desenvolvidas até a sua época é de incompletude: a Filosofia sempre foi norteada pela tentativa de atribuir à existência do homem um significado distanciado da experiência comum, como se a justificativa para as nossas ações devesse ser buscada em um plano acima de nós. Por meio desse raciocínio transcendentalista, os filósofos assumiram uma tarefa desnecessária, porque, para Dewey, a própria experiência humana, florescendo em íntima relação com o ambiente social, é suficiente para justificar as noções intelectuais e morais que desenvolvemos para aplicar às nossas vidas.

Essa tarefa assumida pelos filósofos é também impossível, pois o pensamento filosófico não é um modo privilegiado de acesso à verdade; as produções dos filósofos resultam de suas vivências pessoais e coletivas, originadas e situadas em determinados contextos culturais e políticos. Para Dewey, em suma, a filosofia nada mais é do que a expressão intelectualizada da experiência humana, um reflexo da vida na inteligência, devendo ser testada e reformulada constantemente na prática, para, desse modo, poder guiar essa mesma vida. A Filosofia não pode ser transformada em conjuntos de dogmas ou leis transcendentais para ordenar as ações do homem a partir do alto, de fora da caverna imaginada por Platão.

## UMA TEORIA PRAGMÁTICA DO CONHECIMENTO

A inovadora concepção proposta por Dewey pode ser definida sumariamente como uma tentativa de romper os inúmeros dualismos que direcionaram toda a história da Filosofia. Em seu livro Experiência e Educação, de 1938, Dewey diz: "O homem gosta de pensar em termos de oposições extremadas, de polos opostos. Costuma formular suas crenças em termos de 'um ou outro', 'isto ou aquilo', entre os quais não reconhece possibilidades intermediárias". Quando se vê forçado a reconhecer que a ação não se submete a posições assim extremadas, o homem tende a sustentar que as suas formulações teóricas, situadas em um dos polos, estão certas, e que só na prática é que as coisas são diferentes, como se a vida fosse um empecilho à teoria e não o espaço de efetivação e teste do teórico.

A proposta deweyana de uma nova filosofia é fundamentada em suas críticas ao dualismo reinante entre as diversas visões filosóficas. O que contribuiu para a formulação de seu posicionamento original no campo da epistemologia foi o surgimento de concepções inovadoras no âmbito científico, mais precisamente o desenvolvimento de uma psicologia fundamentada na biologia, como ele mesmo descreve em Reconstrução em Filosofia. A psicologia de sua época seguia preceitos derivados do empirismo dos séculos XVIII e XIX, concebendo a vida mental como decorrente de sensações que, uma vez recebidas pelo organismo "separadas e passivamente" por meio dos órgãos sensoriais, vão se aglutinando, sendo organizadas na mente segundo determinados princípios de "retenção" e "associação", e assim constituindo "um mosaico de imagens, percepções e concepções". Segundo essa psicologia, os sentidos são como "portões ou vias de acesso do conhecimento", restando à mente o papel passivo de combinar as sensações.

Sob o efeito dos desenvolvimentos na área da biologia, no entanto, esse quadro foi invertido; compreendeu-se que a existência de vida é o mesmo que atividade, o que implica esforço contínuo de adaptação do ser vivo ao ambiente, efetivando um processo que requer ação constante e plena atividade do organismo. Quando Dewey se reporta ao surgimento de uma psicologia baseada na Biologia, ele tem em mente as descobertas da fisiologia que, associadas à ciência psicológica, desmontaram a dicotomia entre as funções do sistema nervoso central, de um lado, e as ações do restante do corpo, de outro. Em vez de conceber o cérebro como órgão responsável pelo conhecimento, isolado dos demais componentes do organismo, tornou-se evidente que às atividades cerebrais cabe intermediar a interação de cada ser com os fatores ambientais.

Dewey analisa a reviravolta ocasionada pelas ideias evolucionistas de Charles Darwin (1809-1882) no campo da filosofia. A relevância filosófica da teoria darwinista da evolução consistiu em realçar que as formas orgânicas mais simples evoluíram devido a um processo de adaptação entre organismo e meio. Quando se compreende esse fato, fica "reduzido ao mínimo aquilo que se pode chamar espírito", conceito que perde importância diante da noção de inteligência. O ser vivo só adquire segurança quando se identifica intelectualmente com os elementos que o circundam e, mais ainda, quando consegue prever as consequências de seus próprios atos, tornando-se capaz de moldar as suas ações em consonância com o que prevê. Assim, o conceito de organismo deixa o plano da mera contemplação passiva e desinteressada do mundo, ao passo que o conhecimento adquire um caráter operante, como ferramenta a serviço da vida.

No ensaio que publicou em 1910 sobre a influência de Darwin na Filosofia, Dewey esclarece que as teses do naturalista inglês abalaram concepções que foram dominantes por 2 mil anos no campo da teoria do conhecimento, porque destruíram a crença de que existe algo fixo e final a conduzir o homem, bem como a ideia de que tudo o que se identifica com mudança é falho e irreal. Diante da necessidade de responder ao desconhecido, os primeiros filósofos imaginaram que o único saber genuíno é o que compreende um fim permanente que se realiza até nas coisas que se alteram; esse fim mantém as transformações dentro dos limites de uma verdade fixa, constituindo uma inteligência contemplativa. A ciência moderna, no entanto, desde Copérnico (1473-1543), Galileu (1564-1642) e Kepler (1571-1630), encarou o fluxo contínuo das coisas com outros olhos, sendo Darwin, finalmente, o responsável por consolidar essa nova visão, mostrando que as adaptações orgânicas ocorrem precisamente por causa da variação. Essa concepção revolucionária tornou obsoleto qualquer tipo de força inteligente e causal prévia, sobrenatural, a quem se possa atribuir o poder de planejar e determinar a mudança.

O fundamento central da filosofia deweyana é que o organismo nunca é passivo, jamais permanece inerte aguardando que algo o impressione de fora. Em vez disso, Dewey considera que o ser vivo sempre age sobre o ambiente, em consonância com as possibilidades oferecidas por sua própria estrutura, seja ela simples ou complexa. Uma vez transformado pela ação do sujeito, o ambiente reage sobre o organismo, ocasionando nele as consequências de sua ação e transformando as estruturas que ele já possui. Essa relação entre agir e sofrer a reação provocada pelo agir constitui o que Dewey denomina experiência. Nos livros Reconstrução em Filosofia e Experiência e Educação, como em outras obras, compreende-se que o termo experiência significa a interação do organismo com o ambiente, do que resulta uma adaptação singular que permite a utilização mais efetiva do meio em benefício do sujeito.

## O NOVO SENTIDO DE EXPERIÊNCIA

Em Natureza Humana e Conduta, livro publicado em 1922, Dewey aprofunda a discussão com as correntes psicológicas de sua época, seguindo a trilha aberta por William James e George Mead.

Dewey defende que a mente é uma instância biológica que se forma e só se efetiva no âmbito social; a noção de consciência, para ele, expressa a ideia de uma função que se desenvolve no processo em que os organismos interagem uns com os outros mediante as condições ambientais. O funcionalismo da concepção psicológica deweyana acentua os conceitos de processo, atividade e relação, estabelecendo que a mente tem uma função instrumental, tal qual uma ferramenta que permite ao homem situar-se diante dos eventos naturais e dos condicionantes impostos pela vida em coletividade. A concepção psicológica de Dewey funda uma psicologia eminentemente social.

Ao situar o homem no contexto da interação que se realiza entre organismo e ambiente, Dewey revela a continuidade entre o caráter biológico e a natureza essencialmente cultural do ser humano. Este é o sentido novo que Dewey atribui à palavra experiência, até então estigmatizada pela tradição filosófica. O ser biológico, com seus caracteres herdados, é moldado pelo meio social, tendo que se acomodar a ele; tal acomodação, no entanto, nunca é passiva, pois o homem não recebe as configurações de sua cultura como um molde que se impõe sobre ele, mas vai modificando, adequando, pouco a pouco, na medida de suas necessidades, as injunções que pesam sobre ele. Em suma, o que define o homem e estabelece o conhecimento formalizado é a experiência, entendida como processo de interação entre o organismo individual e o meio social e cultural, do qual o homem é parte integrante.

Em Reconstrução em Filosofia, Dewey afirma que o conhecimento ocupa posição "derivada, secundária quanto à origem, embora sua importância, quando estabelecida, seja dominante, suprema". O conhecimento, então, sendo resultante de um processo, perde a aura de supremacia que o concebia como algo já definido e pronto. Para Dewey, o conhecimento integra o "processo pelo qual a vida se sustenta e evolve". Os sentidos, por sua vez, não são "portões do conhecimento", como supunham os empiristas, devendo ocupar o posto que realmente lhes cabe; as impressões sensoriais são apenas "estímulos à ação", incitamentos à busca de respostas para as indagações que o mundo desperta em nós.

O debate entre racionalistas e empiristas quanto à natureza das sensações é, então, superado, não mais pertencendo aos domínios da epistemologia, mas ao "capítulo de estímulos e respostas imediatas". Ao colocar o empirismo em seu devido lugar, Dewey torna desnecessária a visão que concebia a mente como faculdade racional integradora das impressões sensoriais isoladas e desconexas. A concepção funcionalista deweyana põe a Razão na esfera da "criação desnecessária de homens aferrados ao formalismo tradicional e a uma terminologia laboriosa e complicada". Para Dewey, só se pode dar o nome de conhecimento àquilo que esteja "organizado em nossas disposições mentais" com a função de nos tornar capazes de "adequar o meio às nossas necessidades" e, mais ainda, "adaptar nossos objetivos e desejos à situação em que vivemos". O conhecimento consiste nas "disposições de espírito que conscientemente adotamos para compreender o que atualmente sucede". Enfim, só merece ser chamado de conhecimento aquilo que nos facilita estabelecer o vínculo entre nós mesmos e o mundo em que vivemos.

## PENSAMENTO REFLEXIVO E VALORES

As noções psicológicas de Dewey acerca da mente como instância funcional decisiva na relação do homem com o ambiente deram origem ao conceito de pensamento reflexivo, cuja penetração no terreno da Pedagogia foi marcante durante o século XX, estando presente em diversas vertentes do pensamento pedagógico ainda hoje. Em seus livros Como Pensamos e Democracia e Educação, Dewey esclarece que pensar reflexivamente envolve formar juízos, deliberar; pensamos de maneira reflexiva quando utilizamos nossa mente para examinar um assunto e dar a ele uma direção consequente. Sendo assim, o pensar não é uma sucessão desordenada de ideias ou imagens, mas uma unidade que associa tais elementos de modo operativo, tendo em vista determinado fim. Pensamos de maneira reflexiva quando fazemos um exame cuidadoso e atento dos fatores envolvidos em determinada situação, com o objetivo de alcançar uma conclusão que nos forneça certa garantia sobre o problema em estudo.

Dewey dá o nome de investigação ao ato reflexivo de pensar, dizendo que sua origem reside em um estado de dúvida, a partir do qual se desencadeia uma pesquisa destinada a esclarecer a indagação original. Investigamos – ou pensamos reflexivamente – quando estamos diante de um problema, termo que Dewey define como "tudo aquilo, por simples e trivial que seja, que põe o espírito em perplexidade, desafiando-o a tal ponto que a crença se faz incerteza". O problema nos põe diante de caminhos alternativos, situações desconcertantes e ambíguas, impondo-nos a necessidade de buscar respostas. Para isso, procedemos, primeiramente, a um levantamento dos dados envolvidos na situação; em seguida, raciocinamos sobre esses dados e elaboramos hipóteses indicativas de solução. Quando testamos essas hipóteses e verificamos qual delas se aplica mais adequadamente ao objetivo almejado, damos a isso o nome de conhecimento.

Pensar, então, para Dewey, é proceder a avaliações contínuas de fatos e ideias, no intuito de formar juízos sobre eles, sobre nós mesmos e sobre o mundo que nos cerca. Com base nessa formulação, Dewey propõe que educar seja ensinar a pensar reflexivamente, devendo o professor criar condições para que os alunos exercitem continuamente o processo pelo qual se formam as disposições morais e se cultivam as apreciações estéticas. Educamos quando ensinamos nossos alunos a buscar explicações minimamente aceitáveis para amenizar as suas indagações. Educamos quando incentivamos o estudante a colocar sua mente em ação, a operar os diversos caminhos pelos quais é possível elaborar conhecimento, sem apego a falsas concepções. Em suma, educamos quando oferecemos os meios e o ambiente adequados para o uso da inteligência.

Luiz Henrique Dutra, em Oposições Filosóficas: a Epistemologia e suas Polêmicas, situa certas correntes da Filosofia no rol das "oposições filosóficas", por serem dotadas, entre outras características, da "convicção de que o conhecimento humano é falível e limitado, de que conhecer é um processo, um conjunto de eventos humanos que se dão na interação dos seres humanos entre si e com a natureza em geral, em um tempo determinado de sua história". O pragmatismo deweyano pode certamente ser colocado nesse rol por diversos motivos, alguns dos quais já foram aqui mencionados. No que diz respeito especificamente à noção de pensamento reflexivo, o motivo é que, para Dewey, o conhecimento produzido ao término da investigação nunca é definitivo. Mesmo seguindo criteriosamente os passos do processo investigativo, o que obtemos é uma solução provisória, uma certeza que assumimos como suficiente para guiar nossos atos, mas que é relativa ao momento em que se localizam os conhecimentos e as técnicas de pesquisa disponíveis.

Dewey afirma que devemos nos manter sempre dispostos a prolongar o estado de dúvida, jamais aceitando uma crença que não tenha sido devidamente justificada. O que formalizamos ao cabo de uma investigação é chamado de conhecimento, mas essa palavra não deve assumir a conotação de verdade absoluta; o que assumimos quando pensamos reflexivamente é uma asserção garantida, uma formulação que contém os resultados obtidos até o momento presente, mas que serve fundamentalmente à meta de continuar investigando, mediante o desafio trazido por novas perplexidades. Esse modo de ver o conhecimento possui evidente significado para a educação: se adotamos a tese deweyana de que educar é promover o vínculo entre o pensar e o agir, com o objetivo de formar valorações sobre o mundo, devemos considerar também que os juízos formados são perecíveis, sujeitos a mudança, na medida em que muda o mundo. Por isso, os educadores deveriam ocupar-se prioritariamente em desenvolver a capacidade reflexiva de seus alunos, em vez de se apegarem à necessidade de transmitir conhecimentos como certos e definitivos.

Em seu estudo sobre conhecimento e valor em Dewey, Dutra considera que a teoria deweyana não pode ser definida como intelectualista, uma vez que a concepção de problema por ele preconizada não exprime "um sentido puramente cognitivo, mas existencial. Ou seja, a situação inicial que desencadeia uma investigação é uma situação de fato, uma circunstância que envolve o indivíduo que investiga e elementos do ambiente natural e social no qual ele está inserido". Quando Dewey discorre sobre o processo de investigação, sua referência não é exclusivamente a atividade científica, pois o que ele sugere é a existência de um só método, tanto para investigações no campo dos fenômenos naturais, quanto para a busca de soluções na esfera da moral; o método de pensar é o mesmo, "quer estejamos procurando resolver um problema teórico – como, por exemplo, na investigação científica, quando desejamos 'conhecer' melhor o mundo – quer estejamos lidando com um problema prático – como quando desejamos 'tornar' o mundo melhor".

Para Dewey, os valores não são fórmulas pairando sobre nós, dentro de uma esfera supra-humana inatingível – ou só atingível pela via do intelecto ou da razão. Valores são construções sociais e pessoais elaboradas por intermédio de nosso envolvimento na busca por soluções que nos ajudem a viver melhor. Assim como as teorias científicas, os valores devem ser tomados como hipóteses cuja validação se faz na prática, perante situações reais desafiadoras. Valores não são formulações inquestionáveis, dogmáticas, ditadas por alguma autoridade suprema e inabalável, mas respostas provisórias elaboradas no dia a dia por cada um de nós e pela coletividade a que nos integramos.

Esse modo de ver a moral implica assumir determinadas atitudes, seja no plano mais amplo da vida coletiva, seja no espaço restrito de uma sala de aula. O posicionamento investigativo, segundo Dewey, deve estar presente em assuntos tão variados quanto o estabelecimento de procedimentos didáticos escolares e a escolha de regras de conduta individuais ou grupais; o constante questionamento a padrões estabelecidos, tidos como finais e prontos, deve ser assumido não só nos espaços macrossociais, mas também nas pequenas causas cotidianas. Adotar um posicionamento experimental diante da vida é, em última instância, uma escolha, que fazemos ou não, dependendo de nossas expectativas e desejos acerca de nós mesmos, do mundo em que vivemos e do mundo que queremos ter no futuro.

## UMA FILOSOFIA POLÍTICA E MORAL

John Dewey tornou-se conhecido em diversos países, inclusive no Brasil, como um filósofo da educação. De fato, boa parte de sua produção intelectual diz respeito a temas da pedagogia, assim como as suas obras mais famosas. No Brasil, por exemplo, foram publicados os livros Como Pensamos, Democracia e Educação e Experiência e Educação, todos por iniciativa do influente educador Anísio Teixeira, que também editou Vida e Educação, coletânea que reúne os ensaios "A Criança e o Currículo" e "Interesse e Esforço em Educação". Teixeira estudou no Teachers College da Universidade de Colúmbia no final da década de 1920 e, ao retornar, publicou Aspectos Americanos de Educação, livro que registra seu primeiro contato com as concepções educacionais renovadoras, e Educação Progressiva, trabalho fielmente inspirado na pedagogia deweyana.

Embora os textos pedagógicos de Dewey situem a educação no interior de uma problemática filosófica e política mais ampla, é inegável que os assuntos neles abordados atendem diretamente aos interesses dos educadores, especialmente daqueles que, entre os anos de 1920 e 1960, integraram o movimento conhecido como Escola Nova, cujo objetivo era renovar os parâmetros metodológicos e sociais da escola no Brasil. A identificação de Dewey com a área da pedagogia não é equivocada, mas não deve obscurecer o fato de que, no conjunto de sua obra, a proposição de uma nova concepção pedagógica faz parte de um marcante debate sobre a necessidade de construir uma nova ordem social – a democracia – e sobre os obstáculos que se interpõem a esse desejo.

É importante destacar que alguns trabalhos de Dewey versando sobre temas exclusivamente filosóficos e políticos também foram publicados no Brasil, embora em menor número. Ainda sob a responsabilidade de Teixeira, foram editados o livro Reconstrução em Filosofia e a coletânea Liberalismo, Liberdade e Cultura. Após muitos anos sem novos títulos de Dewey no mercado editorial, tivemos o lançamento de duas obras com essas mesmas características: a coletânea intitulada A Valoração em Ciências Humanas e, finalmente, a primeira tradução brasileira de Arte como Experiência.

Ainda que nos falte a publicação de muitos textos relevantes da extensa e diversificada produção intelectual de Dewey, é importante frisar que as suas principais teses encontram-se no livro Democracia e Educação, o qual, segundo David Hansen, "é muitos livros em um". Embora seja comumente citado como uma obra de pedagogia, esse livro permite observar que o pensamento deweyano contém forte conotação política, cujo significado pode ser assim resumido: a função da filosofia é essencialmente civilizadora, prestando-se a situar o homem no contexto das intensas e incertas mudanças que atingem a existência; cabe à filosofia contribuir para que o homem desenvolva novos modos de reação diante dos acontecimentos que afetam as formas estabelecidas de viver; para isso, o pensamento reflexivo é a principal ferramenta disponível, uma vez que serve à revisão de valores intelectuais e morais; a democracia é o único modo de vida capaz de oferecer o ambiente propício à realização dessa meta, pois só a democracia permite a crítica das formas vigentes de convivência, viabilizando não a perpetuação dos costumes, mas a reconstrução permanente do que já se encontra firmado, sempre em busca de maior igualdade entre as pessoas.

Para Dewey, a noção de democracia ultrapassa a discussão acerca das formas de governo: democracia é um modo de vida que prima pela atitude de compartilhamento e cooperação, pela disposição em comunicar objetivos e valores em busca de reconstruir a experiência individual e coletiva. Na democracia, tal qual Dewey a conceitua, os interesses do indivíduo e as imposições sociais constituem aspectos complementares que dão significado e direção, tanto ao comportamento individual quanto aos rumos da sociedade. Somente a democracia pode fornecer as condições imprescindíveis ao pleno desenvolvimento das potencialidades criadoras do homem, por desconstruir a tradicional dicotomia entre o indivíduo e a sociedade, entre a mente e o corpo, entre uma escola dirigida a uma classe privilegiada e um sistema escolar destinado aos demais.

No modo de vida democrático pensado por Dewey, o caráter individual é social, uma vez que os fins coletivos afloram da ação conjunta, não constituindo imposições externas e estranhas. A experiência compartilhada é, ao mesmo tempo, individual e cultural, pois todos contribuem para a formação da cultura, e esta, por sua vez, fornece o sustentáculo da existência de cada um. Desse modo, por mais paradoxal que nos pareça, a individualidade é um fenômeno que emerge da prática associativa e nela se aprimora, não sendo o resultado das experiências de uma pessoa isolada. Antes de ser um fato psicológico, a individualidade pertence à esfera da cultura. O que estabelece o vínculo entre indivíduo e coletividade é a inteligência, conceito que, no pensamento deweyano, é permeado por uma "atmosfera fortemente socializada", como diz Maria Nazaré do Amaral. É a inteligência, que nasce e se articula na experiência coletiva, o que permite ao indivíduo desenvolver em si mesmo o espírito de integração que o vincula ao todo. A plena satisfação das necessidades particulares acontece, portanto, na esfera da cooperação, não no isolamento, e a democracia é o único modo de vida que atende aos requisitos indispensáveis ao florescimento da inteligência.

O que Dewey chama de democracia, no entanto, não se identifica com nenhuma sociedade existente, nem mesmo com a dos Estados Unidos, da qual muitos acreditam que ele tenha sido um ardoroso defensor. Na verdade, Dewey manifestou com clareza e ênfase as suas críticas ao capitalismo, bem como ao comunismo, mostrando que ambos os regimes se distanciam da forma verdadeiramente democrática, uma vez que contribuem para fortalecer as dicotomias sociais. Para Dewey, democracia também não é o termo final de uma suposta trajetória da humanidade, um lugar ou um tempo idealizados em que reine a plena simetria entre todos os grupos sociais, sem conflitos. Dewey jamais manifestou a certeza de que a democracia virá a existir um dia; o modo de vida democrático é uma aspiração que deve ser considerada válida, suficientemente válida para nos impulsionar a trabalhar por ela cotidianamente, com vistas ao futuro. Nossa atitude, tanto em filosofia quanto em educação, deve ser de crença na reconstrução das formas vigentes de vida, por meio de um processo sem fim, orientado pela inteligência, pela reflexão, pela constante necessidade de testar, na prática, o que hoje acreditamos ser verdadeiro e justo.

## UMA FILOSOFIA MORAL

O dever ser presente nesses últimos raciocínios significa que não há fundamentos teóricos inquestionáveis que garantam a existência de uma sociedade e uma educação nos moldes descritos por Dewey. O que há, concretamente, é somente o nosso desejo de que seja assim. É por esse motivo que David Hansen diz que a filosofia deweyana é uma filosofia fundamentalmente moral; e é por isso, também, que um dos livros contidos em Democracia e Educação é justamente um livro sobre moral. O último capítulo da mais famosa obra de Dewey chama-se Teorias da Conduta Moral, e a sua última frase é: "O interesse em aprender com todos os contatos da vida é o interesse moral essencial". Aprender com todos os contatos da vida, não somente com aqueles que nos soam agradáveis ou familiares – eis a proposta de Dewey. Essa frase contém um posicionamento ético peculiar, indicando que a filosofia deweyana sugere, em última instância e acima de tudo, uma arte de viver que traduz o sentido próprio da democracia pensada por Dewey.

Hansen revela que os delineamentos dessa arte de viver vêm de Ralph Waldo Emerson, poeta que Dewey denomina "o filósofo da democracia" e que inspirou muitas das concepções deweyanas. Emerson descreve um modo de ser denominado receptivo, no qual a pessoa não pode ser descrita por meio de sistemas convencionais, como um curriculum vitae, por exemplo, mas por intermédio daquilo que se adquire na relação com outras pessoas. Características como coragem, amabilidade, inventividade, esperança e fé nas possibilidades não podem ser compradas, emprestadas nem catalogadas, mas podem ser assimiladas, diz Hansen, "se a pessoa aprender a ouvir, a prestar atenção, a ser aberta e a acreditar que há uma qualidade que a vida pode ter, que é mais do que ser formada por várias quantidades".

A teoria moral deweyana diz respeito a um modo de vida que não pressupõe a eliminação de conflitos, mas a exposição das divergências em um ambiente não dualístico, permeado pela comunicação, pelo diálogo, pela crença em soluções consensuais. Ao dizer que o interesse moral essencial é a disposição para aprender com todos os contatos propiciados pela vida, à maneira de Emerson, Dewey nos conduz, propositadamente, a uma série de questionamentos. Seria a sua proposição moral deweyana exequível, razoável, desejável? Não seria ela uma formulação mais adequada ao terreno do poético do que ao campo real da política? Hansen entende que a principal contribuição de Dewey consiste em levar ao limite essas indagações, obrigando-nos a refletir sobre a afirmação de que "a qualidade da vida humana não é preordenada". Dewey nos propõe um problema para, com ele, darmos início a um processo reflexivo, a uma investigação sobre o que fazer da vida e com a vida, admitindo que somos seres do reino da contingência, onde tudo pode ser constantemente construído, desconstruído e reconstruído.

# *Contribuições para a educação*

# ESCOLA, ESTÉTICA E ÉTICA

por Pedro Angelo Pagni

A educação seria o campo predileto de aplicação e de experimentação da filosofia, a ponto de a escola ser considerada o seu laboratório

Tanto no Brasil quanto no exterior, intérpretes do pensamento educacional de John Dewey argumentam que a principal contribuição para a educação desse filósofo teria sido a do estabelecimento de um método pedagógico centrado no aluno e na prática, por meio do qual se aprende a aprender e a pensar, seguindo os procedimentos da ciência e, portanto, confundindo ensino com pesquisa; ou, então, afirmam que esse método estaria centrado na aplicação de um aprendizado por problemas em que o professor parte do planejamento de problemas para que os alunos, por si mesmos, aprendam a resolvê-los.

Essas interpretações, porém, concorrem para o empobrecimento da filosofia da educação que norteia a teoria pedagógica e orienta o aprendizado do pensar reflexivo, deixando de abordar os sentidos estéticos, éticos e políticos compreendidos pelo pensamento deweyano. Por esse motivo, neste artigo, apresentaremos uma interpretação que, embora não se descuide das preocupações epistemológicas de seu pensamento, procure explicitar o modo como esse filósofo concebeu a experiência, explorando particularmente a sua qualidade estética, o princípio de continuidade e de integração que condicionam a educação como crescimento, assim como a atitude ética que preside o pensar reflexivo no qual se apoia. Para tanto, reconstruiremos as noções deweyanas de experiência educativa e de pensar reflexivo, centrais para a sua filosofia da educação, demonstrando como esta última se constitui não em um fundamento, mas em uma teoria geral que se reconstrói continuamente e que está diretamente implicada com a prática escolar na medida em que concebe esta como laboratório da filosofia no que se refere ao ensaio das atitudes éticas, dos melhores valores morais e posturas políticas a conduzirem a vida individual e coletiva.

## EXPERIÊNCIA, MÉTODO EMPÍRICO E PENSAR REFLEXIVO NA EDUCAÇÃO

Em Experiência e Educação, Dewey argumenta que a "ideia fundamental" que faz com que a sua filosofia da educação se diferencie daquela professada pela escola tradicional é a de se apoiar em uma "relação íntima e necessária entre os processos de nossa experiência real e a educação". Por essa razão seria imprescindível que essa nova concepção de educação, almejada pela sua filosofia, se assentasse em uma teoria da experiência e que a partir dela se pudesse qualificar que experiência seria efetivamente educativa.

A experiência é uma das categorias centrais da filosofia de Dewey. Em seu sentido amplo, segundo Anísio Teixeira, ele a entende como toda relação entre um organismo vivo e o ambiente, da qual ambos saem modificados. O ambiente se modifica por receber uma ação desse organismo que, por sua vez, também se transforma na medida em que se exerce uma reação igual sobre ele. Esta situação particular entre agente e ambiente, denominada de experiência, também interage com outras situações em que exerce ação e reação sobre corpos ou elementos, se constituindo em um processo geral de ação e reação que compõe a multiplicidade de experiências formadoras do universo e que o movem continuamente. Em relação ao gênero humano, a experiência possui uma particularidade: o homem é o único organismo vivo que atribui significado às suas relações com o ambiente e consigo mesmo, em um tempo e em cada situação vivida, graças à sua capacidade de percebê-las, de imaginá-las e de pensá-las. Desse modo, as experiências do passado podem ser reconstruídas por meio do pensamento reflexivo humano, os significados que lhes foram atribuídos podem ser reformulados, diante de sua inadequação para designar e de sua ineficácia para resolver os problemas emergentes no presente, assim como os planos que as orientam podem ser revistos em busca de outros, no futuro, que sejam mais adequados à condução inteligente da vida.

Em Como Pensamos, Dewey argumenta que o pensar reflexivo difere tanto do pensamento desordenado e desregrado, proveniente daquilo que nos passa como imagens (fantasias, sonhos etc.), quanto da crença ou do dogma a algo já instituído, que não encontra respaldo nos fatos, tampouco nos argumentos racionais. O pensamento reflexivo seria a melhor maneira de pensar, pois, segundo o autor, "consiste em examinar mentalmente o assunto e dar-lhe consideração séria e consecutiva". Essa consecução implica, necessariamente, tal pensamento agir segundo fins ou objetivos em vista, analisando metodicamente o assunto em questão, no sentido de que tanto a conclusão a que se chegue seja decorrente da verificação e possa ser julgada como válida ou aceitável no contexto do qual emerge, quanto a proposição e o sequenciamento das ideias produzidas para sustentá-las sejam lógica e consistentemente construídas.

Se, desta forma, se daria a consistência necessária às conclusões a que chega a reflexão para liberar o pensamento do caráter meramente imediato e sensível da experiência e de suas funções imaginativas e dogmáticas, o pensar reflexivo restringe metodicamente estas últimas e exerce uma função mediadora em relação à primeira, estendendo às várias situações o método empírico e auxiliando o indivíduo na condução inteligente da vida. Na acepção deweyana, "o pensamento reflexivo faz um ativo, prolongado e cuidadoso exame de toda crença ou espécie hipotética de conhecimento, exame efetuado à luz dos argumentos que a apoiam e das conclusões a que chega" (grifos nossos). Nesse sentido, a reflexão pressupõe uma lógica e tem em vista uma investigação que começa "quando experimentamos verificar sua validade e saber qual a garantia de que os dados existentes realmente indiquem a ideia sugerida de modo que justifique o aceitá-la" (grifos no original). Assim, esse pensamento pode ser definido como uma operação que, ao se deparar com um estado de dúvida suscitado na experiência e com uma interrupção do significado atribuído à ideia que a compreendia e do hábito de pensar que a representava, tenta reestabelecer outra conexão lógica com a realidade, mediante um ato de inquirição ou de pesquisa e de um método, que resolva a dúvida, sugira uma nova proposição, testando-a nessa relação com a realidade e validando-a junto à comunidade a qual se destina.

Esse método empírico que preside o pensamento reflexivo é, diz Dewey em Experiência e Natureza, "o único capaz de fazer justiça" à sua "inteireza inclusiva". Isso porque, em primeiro lugar, esse método ajuda a diferenciar os objetos grosseiros, decorrentes da experiência primária e imediata, dos objetos refinados pela reflexão, provenientes da experiência secundária e mediada pelo pensamento sistemático. Por conseguinte, esse pensamento concorre para que o experienciado incidentalmente ocorra por meio de uma investigação reflexiva contínua e dirigida inteligentemente, sendo capaz de não apenas diferenciar os seus produtos, como também os refinar no sentido de distanciá-los gradativamente do senso e da linguagem comuns. Assim, tal investigação reflexiva aproximaria os objetos da experiência das linguagens da ciência e da filosofia, mediante as quais seriam traduzidos e ressignificados, livrando-os de seus significados imediatos, primários e de sua circunscrição ao senso comum.

## O PENSAR REFLEXIVO

Seguindo os passos do procedimento científico de investigação e de pesquisa, esse modo de pensar reflexivo foi almejado por Dewey como um fim de toda educação. Isso porque tal pensar poderia emancipar-nos da ação "meramente impulsiva e rotineira", tornando-nos capazes de "dirigir nossas atividades com previsão e planejar de acordo com fins em vista ou propósitos de que somos conscientes", afirma em Como Pensamos. Mais do que isso, esse modo de pensar poderia ser aprendido e, com isso, ser estendido metodicamente para tornar reflexivas as experiências consideradas significativas pelo indivíduo. Nisso residiria o caráter educativo da experiência e dessa forma o aprendizado por experiência foi levado para o interior da escola, pelo movimento da Educação Progressiva nos Estados Unidos, privilegiando a apreensão do pensar reflexivo como um método que faz com que o aluno aprenda a aprender e que se faça em seu próprio fazer por intermédio dos passos da investigação científica.

Este é o ponto no qual se apoia uma das tendências preponderantes de interpretações sobre a pedagogia depreendida do pensamento de John Dewey e levada a cabo pelo movimento da Educação Progressiva, responsável tanto por influenciar a sua recepção nas escolas brasileiras quanto por gerar certa resistência contra tais ideias pedagógicas, em decorrência de seu excessivo instrumentalismo, de um ensino que desconsideraria o papel do professor e do planejamento da matéria a ser ensinada e de um aprendizado por experiência que seria muito próximo ao senso comum. O equívoco dessa interpretação e das críticas que sucederam sobre as contribuições desse filósofo para a educação, sob nossa ótica, é o de não considerar sequer a relação da experiência com a sua concepção de linguagem e com a filosofia que, respectivamente, permitiriam vislumbrar a conotação social de seu pensamento e a sua articulação com a vida, dando contornos mais precisos e justos ao seu projeto filosófico e educacional. Nesse sentido, compreenderemos as contribuições de seu pensamento para a educação, levando em conta as dimensões lógicas, estéticas e políticas compreendidas por sua filosofia da educação.

Dewey argumenta em Experiência e Natureza que a capacidade de significação, de ressignificação e de projeção do homem em relação à sua própria experiência não necessita pressupor uma forma fixa à qual o conteúdo de sua experiência se ajustaria necessariamente, mediante as categorias do entendimento ou de uma lógica que confeririam universalidade ao conhecimento. Ao contrário, mediante a capacidade de atribuir significado à experiência, o homem necessita de uma capacidade de aprender com a qual ele nasce e da linguagem comum, adquirida na relação com os membros da comunidade à qual pertence. É a partir dessa capacidade inata e da linguagem adquirida que o homem enuncia significados sobre a sua relação com o mundo e consigo mesmo, denominada de experiência, destinando-os à comunidade à qual pertence e colocando-os à prova perante esses mesmos destinatários.

Nesse processo de reconstrução e de redirecionamento da experiência estariam contidas não apenas a adaptação biológica dos agentes ao ambiente, restringindo-se a um ajuste do indivíduo à sociedade, como também uma possibilidade tanto desse mesmo indivíduo quanto da própria sociedade de se aprimorarem diante das interações propiciadas pela comunidade. Isso porque, segundo o filósofo, novas formas de agir e de pensar emergiriam dessa interação, sobretudo, aquelas que ocorrem entre as gerações mais velhas com as mais novas, propiciadas pela educação. Essas novas formas se oporiam aos modos habituais de agir e pensar, interrompendo-os por intermédio de um pensamento metódico e sistemático. Tal pensamento seria responsável tanto pelo diagnóstico da ineficiência dos resultados para a resolução de um dado problema quanto pela produção de condições favoráveis à consecução em vista desse fim, levando gradativamente para todos os âmbitos da existência uma atitude investigativa capaz de promover a condução inteligente da vida. E, como a linguagem é o instrumento dos instrumentos, para ele, os produtos dessa experiência reflexiva deveriam retornar e ser testadas para se saber se são capazes de solucionar o problema do qual partiu essa investigação, particularmente, como postulado pelas ciências, e se auxiliam a conduzir melhor a vida, quando associados aos resultados de outras experiências, graças aos nexos estabelecidos e à busca de sentidos almejados pela filosofia.

A filosofia funcionaria como uma espécie de elaboradora desses nexos e de propositora de sentidos à ação humana. Para tal, ela pressupõe um método capaz de conferir certa unidade das experiências, às quais está sujeito o homem, com o propósito de oferecer um sentido à melhor condução de sua vida. Não se trata, com isso, de fazer da filosofia algo restrito à vida individual, tampouco dissociada da história. Ao contrário disso, segundo Dewey, a filosofia deveria restabelecer teoricamente aquela unidade, mediante o pensamento reflexivo e, particularmente, da expansão da lógica ou da teoria da investigação para as diferentes esferas da vida, em busca de oferecer à ação humana um sentido. Dessa forma, a filosofia se apoiaria em um método e, sobretudo, em uma atitude investigativa que vislumbrariam a condução inteligente da vida, em vista a propor-lhes uma direção que consiste em, historicamente, tornar cada vez mais inclusivo e íntegro o seu desenvolvimento na esfera social. Contudo, em Democracia e Educação Dewey reconhece que os conflitos são relevantes nessa esfera, que eles promovem o desenvolvimento da história e que existem várias concepções de vida em disputa, admitindo filosofias que se rivalizariam entre si na comunidade e que denotariam o caráter plural da sociedade – fundamental para a existência da democracia

Dessa perspectiva, a filosofia seria não propriamente o fundamento da teoria pedagógica que, por sua vez, orientaria a ação educativa, mas uma atitude geral e uma articuladora dos nexos que se operam e dos sentidos que se descobrem na educação, com o intuito de tornar os problemas aí experimentados objetos da reflexão de seus agentes e, nesse processo reflexivo, de propiciar um pensamento que lhes seja efetivamente educativo. Dewey não está propondo, com isso, uma didática que se resume ao aprendizado do pensamento reflexivo a partir de problemas concretos e significativos que, em situações educativas, instigam a sua resolução mediante a aplicação de um método investigativo, tampouco reivindica a sua aquisição por meio da repetição mecânica ou do treinamento – o que significaria expurgar a experiência dessa forma de pensar. Ao contrário, defende que esse pensar a ser aprendido estaria diretamente associado à qualidade estética da experiência emergente nas situações educativas, assim como à capacidade de educar efetivamente os seus agentes, ao torná-la refletida, concorrendo para o crescimento dos mesmos.

## EXPERIÊNCIA EDUCATIVA E CRESCIMENTO: OUTRO OLHAR SOBRE A PEDAGOGIA DE DEWEY

Em Experiência e Educação, Dewey argumenta: "A crença de que toda educação genuína se consuma através de experiência não quer dizer que todas a experiências são genuínas e igualmente educativas. Experiência e educação não são termos que se equivalem. Algumas experiências são deseducativas. É deseducativa toda experiência que produza o efeito de parar ou destorcer [*sic*] o crescimento para novas experiências posteriores".

O aspecto que difere a sua concepção de educação da chamada tradicional, diz ele, não é o de que essa não proporcione experiências tanto aos alunos quanto aos mestres, mas o de que não se ocupa do caráter e, principalmente, da qualidade da experiência. Isso quer dizer que, embora os jovens tenham algumas experiências educativas, a educação tradicional não se ocuparia das condições imediatas da experiência, isto é, se seria agradável e significativa para eles ou não; tampouco seria consequente com o seu caráter mediato, ou seja, com o quanto essa experiência particular poderia influir sobre as experiências futuras. Estes são os dois aspectos de que a experiência educativa, na perspectiva deweyana, deveria se ocupar: com a sua qualidade estética e com os seus efeitos em relação à possibilidade ou não de crescimento.

## A COMPLETUDE DA EXPERIÊNCIA

Dewey se ocupa de maneira mais detida desse primeiro aspecto em seu livro A Arte como Experiência. O filósofo argumenta que a experiência intelectual propiciada pelo pensamento reflexivo se dá quando os nossos hábitos de ação são interrompidos ou quando nossas crenças são abaladas por um problema emergente em nossa relação com o mundo ou com nós mesmos, como uma espécie de mal-estar que nos tira da sensação de integralidade nessa mesma relação. Mas o que faz, dentre as várias experiências que temos com o mundo, com que nos incomodemos apenas com uma experiência, sobre a qual aplicamos o nosso pensamento em busca de restabelecer, mais do que satisfação meramente intelectual, uma sensação de integralidade? Considerando que a própria experiência possui uma qualidade estética, isto é, uma qualidade emocional satisfatória, em função de sua estrutura interna e de sua realização em um movimento ordenado e organizado pelo pensamento, o filósofo pondera o seguinte: "O que é ainda mais importante é que não apenas é essa qualidade um motivo significativo para empreender uma investigação intelectual e para que seja conduzida honestamente, como também nenhuma atividade intelectual será um acontecimento integral (uma experiência), a menos que seja integralizada pela mencionada atividade. Sem ela, o pensar é inconclusivo. Em suma, o estético não pode ser separado de modo taxativo da experiência intelectual, já que esta deverá apresentar cunho estético a fim de que seja completa".

A qualidade estética da experiência é aquela que proporciona ao pensamento a afecção que mobiliza os esforços subjetivos e que dispõe o indivíduo a resolver o problema suscitado em uma experiência, dentre as várias experienciadas, restabelecendo a sensação de integralidade, perdida diante dessa situação, mediante a sua reflexividade e o desejo de conferir um sentido inteligente à vida. É assim que o pensamento reflexivo confere unidade a esse sentido e torna consciente essa experiência, compreendendo-a em sua totalidade e em seu contínuo movimento, ao mesmo tempo em que integra à sua qualidade intelectual os sentimentos e as emoções e os desejos de que o indivíduo padece e de que o compraz. Dessa forma, tal experiência adquire para o indivíduo um sentido semelhante à criação artística e à recepção da obra de arte: não se reconhecendo no objeto dado e apresentado aos seus sentidos e sim os recebendo ativa e criativamente, transformando-os a fim de provar uma sensação de integralidade.

Essa recepção ativa e sensação propiciada pela qualidade estética da experiência, porém, não estaria restrita somente ao indivíduo singular e às suas relações particulares com as coisas, como também envolveria a vida comunitária e as relações travadas por ele com os outros homens. Por isso, tal qualidade da experiência pode ser observada também nas situações compreendidas pela educação.

Para Dewey, antes de se preocupar com um método de ensino e sua aplicação mecânica, o educador deveria se ocupar do ambiente e das condições (humanas) que essa atividade poderia proporcionar. Para sermos mais precisos, o educador deveria se ocupar em proporcionar ao aluno, imediatamente, uma experiência cuja qualidade estética mobilizasse os esforços subjetivos dos alunos e integrasse o seu pensamento para refletir metodicamente sobre ela. Mediatamente, o aluno poderia estender o aprendizado nela apreendido para pensar outras experiências futuras, colaborando com o seu próprio crescimento e com uma condução mais inteligente de sua vida.

Nesse sentido, Dewey afirma, em Experiência e Educação, que o problema central da educação alicerçada na experiência é o da "seleção das experiências presentes, que devem ser do tipo das que irão influir frutífera e criadoramente nas experiências subsequentes". Isso porque entende que o apoio da educação na teoria da experiência esboçada a tornaria mais simples do que a existente na medida em que, ao se apoiar "nos princípios do crescimento", se tornaria "natural", em oposição à artificialidade pressuposta na seleção e na organização das matérias e dos métodos da educação tradicional.

Para Dewey, o processo educativo é semelhante ao crescimento, sobretudo, quando o compreendemos por meio do gerúndio crescendo e em seu princípio de continuidade. Afinal, diz ele, o emprego de "crescimento, ou crescendo, no sentido de desenvolvendo, não apenas física, mas intelectual e moralmente, é um exemplo do princípio de continuidade", diz ele em Experiência e Educação. E tal princípio procura estabelecer uma relação entre o particular e o geral, interrogando em que medida um crescimento individual concorre para o desenvolvimento coletivo ou moral, isto é, até que ponto esse processo de mudança de atitudes e hábitos pessoais, supostos por essa metáfora educativa, implica o aprimoramento da vida social. Isso porque, segundo Dewey, tal metáfora só tem "direção determinada quando, e somente quando, conduz o crescimento contínuo", podendo satisfazer a definição da educação como crescimento, "pois o conceito deve ter aplicação universal e não limitada e especial" (grifos no original). Desse modo, o princípio de continuidade é um dos critérios de julgamento para se distinguir as experiências educativas das não educativas, já que algumas experiências atuam no sentido de preparar as condições objetivas para a ocorrência de novas experiências, assim como para indicar a sua direção no sentido efetivo de um crescimento geral, social e moral.

## MORAL E MATURIDADE

O valor da experiência particular em questão não pode ser julgado a não ser em função do para que e em que sentido ela se move. Nesse aspecto, diz Dewey na mesma obra: "A maior maturidade de experiência do adulto, como educador, o coloca em posição de poder avaliar cada experiência do jovem de modo que não pode fazê-lo quem tenha menos experiência. Sua tarefa é, pois, ver em que direção marcha a experiência. [...] toda experiência humana é, em última análise, social, isto é, envolve contato e comunicação. A pessoa amadurecida, para pôr o problema em termos morais, não tem o direito de recusar ao jovem, em dadas ocasiões, a capacidade de simpatia e compreensão que sua própria experiência lhe tenha dado".

Essa dimensão social da experiência, admitida por essa perspectiva teórica, ao contrário do que muitos intérpretes e críticos consideraram, coloca o educador numa função específica na educação escolar. Embora deva exercer certa autoridade que lhe é concedida pela sua experiência mais ampla, essa situação não deve servir para que o educador imponha formas de controle externas ao aluno, sobretudo, ao aluno mais jovem. Como educador, diz Dewey, deve ser capaz "de julgar quais atitudes são conducentes ao crescimento contínuo e quais são prejudiciais", deve "possuir capacidade de simpatia e de compreensão das pessoas como pessoas, que o habilite a ter uma ideia do que vai pela mente dos que estão aprendendo", enfim, necessita de qualidades que, em pais e mestres, são fundamentais, quando se tem um sistema de educação baseada em "experiência de vida". As dificuldades e os desafios do educador, no âmbito desta concepção, são muito maiores do que aquelas enfrentadas pela educação tradicional: "A responsabilidade primária do educador não é apenas a de estar atento ao princípio geral de que as condições do meio modelam a experiência presente do aluno, mas também a de reconhecer nas situações concretas que circunstâncias ambientes conduzem a experiências que levam a crescimento. Acima de tudo, deve saber como utilizar as condições físicas e sociais do ambiente para delas extrair tudo que possa contribuir para um corpo de experiências saudáveis e válidas".

Poderíamos dizer que, para tal, a atuação do educador requer, mais do que conhecimentos, qualidades pessoais e atitudes morais, fazendo-o desempenhar essa função social na relação com os alunos e, ao mesmo tempo, estar atento às situações que os levem ao processamento de experiências efetivamente educativas. Nesse sentido, os educadores deveriam estar munidos de uma teoria em que tal experiência só seria verdadeiramente experiência quando as condições objetivas sobre as quais poderiam exercer algum controle externo, sem privar o exercício da liberdade de seus alunos, se achassem subordinadas ao que ocorre no interior de cada um deles. O que não significa, por seu turno, subordinar aquelas condições objetivas às condições internas ou psicológicas, no sentido de estabelecer que estas últimas seriam primárias em relação às primeiras e, portanto, a experiência educativa do aluno ocorreria sem as condições de controle externo estabelecidas pelo educador. Ao contrário, de acordo com Dewey, significa apenas que, em vez de as "condições objetivas estarem subordinadas às imediatas condições internas das crianças, são elas definidamente ordenadas de modo que a espécie particular de interação com os estados imediatos internos se processe normalmente" (grifos no original).

## NECESSIDADE DE ADAPTAÇÃO

Juntamente com o de continuidade, o princípio de interação confere um sentido educativo à experiência e auxilia a sustentar essa concepção de educação como crescimento. Isso porque o educador pode controlar apenas, nas situações educativas, as condições objetivas da experiência, incluindo nestas não apenas os atos de sua fala, como também a sua gestualidade, os equipamentos que utiliza como livros, brinquedos, entre outros materiais que proporcionam certa interação às pessoas envolvidas no processo educativo. Contudo, tal interação não ocorreria caso, além dos educadores proverem o ambiente necessário para ocorrência da experiência, se adaptando às capacidades e aos propósitos daqueles a quem ensinam, os alunos também estivessem dispostos a aprender e interessados naquilo que é ensinado. Dessa forma, segundo Dewey, "O princípio de interação torna claro que tanto a falta de adaptação da matéria às necessidades e capacidades dos indivíduos, quanto a falta do indivíduo em se adaptar às matérias podem tornar a experiência não educativa".

Essa adaptação mútua em que se constitui o princípio de interação seria responsável por tornar menos acidental o processo de ensino e de aprendizado, assim como tornaria a experiência educativa possível, conferindo aos métodos de ensino e às matérias ensinadas maior eficiência em seu aprendizado.

Porém, cabe àquelas pessoas mais jovens, livremente, conferir unidade às suas experiências presentes e julgar reflexivamente os seus efeitos futuros, sobretudo, em relação ao seu crescimento, algo a ser respeitado e promovido por essa concepção de educação defendida por Dewey. Isso porque considera que a liberdade da inteligência – isto é, "liberdade de observação e de julgamento com respeito a propósitos intrinsecamente válidos e significativos" – seria uma das condições para promover esse verdadeiro processo de aprendizagem, estabelecendo a formação do autodomínio de si como fim ideal da educação. Por sua vez, tal condição não seria possível sem uma atitude ética e um arranjo social democrático que permitisse a condução inteligente e livre da experiência e que levasse a cabo esse fim da educação, pois somente esses princípios garantiriam um movimento progressivo similar ao do crescimento no plano da história.

## UM LUGAR PARA A ÉTICA NA MORALIDADE DA ESCOLA

Para haver democracia em uma sociedade e uma forma de interação mais livre entre seus membros são necessários dois elementos: "O primeiro significa não só mais números e variados pontos de participação do interesse comum, como também maior confian ça no reconhecimento de serem, os interesses recíprocos, fatores de regulação e direção social. E o segundo não só significa uma cooperação mais livre entre os grupos sociais (dantes isolado tanto quanto voluntariamente podiam ser) como também a mudança dos hábitos sociais – sua contínua readaptação para ajustar-se às novas situações criadas para os vários intercâmbios", diz Dewey, em Democracia e Educação.

Nesses termos, para existir democracia, os membros de uma sociedade deveriam possuir um conjunto de experiências comuns cujo significado, sentimentos e crenças permitissem a identificação com um de seus grupos, portando os seus valores, costumes e pensamentos. E, para tal, os vários grupos que constituem a sociedade democrática deveriam ser capazes de intercambiar experiências entre si, de modo plural e livre, não obstante as disputas em torno dos significados, sentimentos e crenças que prevaleçam sobre os outros. A democracia é, assim, condição necessária para a interação e para a comunicação livre entre os homens e para que os seus projetos sistematizados ou as suas filosofias, conscientemente, reorientem a experiência e aprimorem as formas de vida social para que elas se tornem melhores do que são no presente.

Mesmo que não se tenha um fim verdadeiro, no qual possa se assegurar metafisicamente o progresso da história humana – mas, como assegura David Hansen em "Retratos de uma Educação Cosmopolita para a Contemporaneidade", apenas um princípio de uma sociedade gradativamente mais inclusiva –, a democracia consistiria em um aprimoramento da vida social nessa direção, mediante o intercâmbio de experiência entre os diversos grupos que a compõem e, graças à livre comunicação estabelecida entre eles, da inclusão das crenças, dos sentimentos e dos valores minoritários no desenvolvimento social e moral preponderante na sociedade. Desse modo, a democracia compreenderia disputas entre múltiplas concepções de vida ou de filosofia – sem saber ao certo, e a priori, qual delas logrará convencer a comunidade –, mas também negociações em torno dos pontos sobre os quais o consenso seria necessário para garantir o progresso gradativo da sociedade. Contudo, para que tal situação de disputa e negociação ocorresse seria necessário também se consolidar na, pela e a partir da experiência educativa um tipo de interação mais livre entre os homens, particularmente, entre as gerações mais velhas e as mais novas, com o objetivo de que nesse progresso gradativo da sociedade houvesse também a possibilidade da mudança gradual, e não somente a continuidade da tradição. Isso significa admitir, segundo Dewey, que a democracia seja considerada, mais do que uma forma de governo, "uma forma de vida associada, de experiência conjunta e mutuamente comunicada". Analogamente à interação necessária à ocorrência da experiência educativa no âmbito da educação nova, a democracia como uma forma de vida deveria se pautar na recusa de todo princípio de autoridade externa e do autoritarismo ou, mais precisamente, em uma forma ética de vida que, uma vez experimentada nas relações de comunicação entre os homens, jamais seria readmitida pelo indivíduo. Assim, a democracia seria um modo ético de vida a ser experimentado e vivido pelo indivíduo como uma atitude geral e aberta frente à vida e ao mundo que, na educação, encontraria ocasião de ser experimentada e formada.

Um modo ético de vida que começa a ser experienciado pelos indivíduos na educação e que ganha um sentido mais preciso na escola, na medida em que as crianças e jovens entrem em contato com significações para as experiências e com valores que lhes são atribuídos diferentes daqueles com os quais estão habituados. Isso porque não apenas os educadores lhes transmitem, nessa instituição, os saberes científicos que podem tornar a sua experiência mais refinada e os valores morais que procuram ajustá-los à vida social, como também os demais indivíduos com quem convivem aí trazem os seus diversos pontos de vista, sentimentos, crenças e costumes. É esta diversidade que promoveria a convivência com a diferença existente e o aprendizado da democracia como um modo ético de vida entre os integrantes da nova geração entre si, ao mesmo tempo que aprenderiam com os mais velhos os saberes científicos, instrumentos técnicos e valores morais que lhes permitiriam refinar as suas experiências e julgá-las reflexivamente, escolhendo para si um modo inteligente de conduzir suas próprias vidas. Nesse sentido, não seria somente a democracia que se aprende nessa vida em comunidade representada pela escola, como também, e principalmente, se experimentam e se formam as atitudes éticas, os valores morais e as crenças políticas que conduzirão a vida das novas gerações: alguns deles, inclusive, em oposição aos tradicionalmente instituídos e transmitidos.

## DÍNAMO MODERNO

Este seria o movimento responsável pelas reformas morais e sociais geradoras do progresso e pelas transformações da sociedade na história, na acepção do autor, do qual a escola moderna não escaparia. Se a escola tradicional teria se constituído para preservar a transmissão da cultura e dos valores morais existentes às novas gerações, socializando estas últimas e moralizando-as por meio da ação das gerações mais velhas, com esse desafio moderno tal instituição se apresentaria como um lugar em que aqueles indivíduos aprenderiam saberes e valores morais com estes, formando as atitudes éticas e posturas políticas necessárias tanto à vida em comunidade quanto à sua progressiva transformação. Contudo, as novas gerações com a formação de novas atitudes éticas e posturas políticas, por meio da experimentação dos saberes e valores existentes, também exercem diretamente sobre as gerações mais velhas – sobre o educador mais diretamente e, indiretamente, sobre a comunidade em que vivem – uma mudança da qualidade da interação entre eles no sentido de que, se não aprovam os resultados obtidos, ao menos os respeitem como uma escolha deliberada desses indivíduos mais jovens. É dessa perspectiva que Dewey entende que a educação e, particularmente, a escola seriam não apenas tempos e lugares do aprendizado da democracia como uma forma de vida que seria levada para a vida em comunidade, como também tempos e lugares de formação de uma atitude ética que, em confronto com o seu caráter moralizador, promoveria o progresso moral necessário à sociedade, tornando-a cada vez mais inclusiva.

## TEORIA GERAL DA EDUCAÇÃO

Se a educação for considerada, diz Dewey ainda em Democracia e Educação, como um "processo de formação de atitudes fundamentais, de natureza intelectual e sentimental, perante a natureza e os outros homens, a filosofia poderia ser definida como uma teoria geral da educação". Ao mesmo tempo que, em razão de essa teoria não ter um caráter de fundamento, mas ser objeto de constante reconstrução nesse "processo de formação de atitudes" em que consiste a educação, esta última seria o campo dileto de aplicação e de experimentação da filosofia, ao ponto de a escola ser considerada o seu laboratório. Isso porque nessa instituição poderiam ser testados não apenas os saberes e as técnicas necessários aos fazeres humanos, as habilidades daqueles que os executam e suas competências, como também, e principalmente, ensaiados os valores morais, escolhidas as atitudes éticas e as posturas políticas que conduzirão a vida do indivíduo na sociedade. Mais do que isso, no presente, a comunidade poderia vislumbrar na escola as possibilidades para tornar melhor a sua vida moral e social, no futuro, possibilitando que as suas novas gerações aí experimentassem os valores e as atitudes mais adequados para condução de suas vidas no mundo, enquanto que os mais velhos preparariam o caminho, atenta e democraticamente, para a sociedade vindoura. Desse modo, a nosso ver, o pensamento de John Dewey contribuiu para que a educação assentada na experiência valorizasse a sua qualidade estética, assim como o pensar reflexivo que sobre ela incide, no sentido de demonstrar que, antes do que presidido por um método – como defendido por outras interpretações –, essa prática está presidida por uma atitude ética e a busca de uma posição política nos termos almejados por sua filosofia da educação.

# *O legado - I*

# PENSAMENTO REFLEXIVO

por Marcos Antônio Lorieri

Os conteúdos das disciplinas devem ser trabalhados com significação vital, isto é, ligados à experiência dos estudantes, pois só fazem sentido como dados no processo investigativo, reflexivo, do pensar e não por si mesmos

As ideias de Dewey a respeito da teoria lógica, com especial referência à educação, estão reunidas, segundo ele mesmo, na obra Como Pensamos (1910). Teoria lógica, para ele, é o mesmo que teoria da investigação, como o título de Lógica: A Teoria da Investigação (1938) o indica. O título de uma das partes de Como Pensamos é "Porque o Ato de Pensar Reflexivo Deve Constituir um Fim Educacional". Mas antes de abordar este tema, Dewey trata do pensamento em geral, do que entende por pensamento reflexivo. Ele aponta o problema de ensinar a pensar e trata do que denomina de "o treino do pensamento", além de outros assuntos. Alguns desses temas são retomados em Democracia e Educação (1916). A exposição a seguir tem como pontos de partida principais, as obras citadas não desconhecendo, contudo, outros trabalhos de Dewey.

## CONHECIMENTO, EDUCAÇÃO, ESCOLA

Uma preocupação fundamental no pensamento de Dewey é a de indicar a importância do conhecimento na conduta (noção de conduta inteligente) e, ligada a ela, a de apontar as melhores formas de garantir isso para as pessoas. Dentre elas estão a elucidação do método de produção de conhecimentos (daí sua teoria da investigação) e o aprendizado deste método num processo educacional voltado precipuamente para este objetivo. Sua teoria educacional nada mais é que uma teoria que justifica e indica como realizar o aprendizado do método de produzir conhecimentos, ou seja, como realizar o aprendizado do método de investigação ou do método do pensar reflexivo. A investigação é função essencial na vida humana que, como qualquer forma de vida, é "um processo que se renova a si mesmo por intermédio da ação sobre o meio ambiente", diz em Democracia e Educação.

No caso do homem, as ações precisam ser inteligentes, ou seja, precisam contar com a componente cognitiva que garante a produção de direções ou sentidos que ele denomina, também, de significações. As ações precisam contar com o pensamento reflexivo. A boa utilização da componente "cognitiva", ou da inteligência – desta capacidade de ler no interior da experiência as suas conexões e daí construir as indicações das possibilidades da ação –, é aprendida e pode ser desenvolvida no que ele denomina de "forma mais elevada de vida": na vida social. É no interior da vida social que a educação ocorre: tanto de modo difuso como de modo mais específico. Nas sociedades complexas o modo mais específico de educação consubstanciou-se, especialmente, na escola. Mas ela traz como risco o distanciamento das atividades que constituem a experiência viva da sociedade que a instituiu. Daí a necessidade da ligação entre os conteúdos da educação formal e a experiência comum das pessoas. "Tudo que possamos chamar de estudo, seja aritmética, história, geografia ou algumas das ciências naturais, há de derivar de materiais que inicialmente se encontrem dentro da área da experiência da vida comum", nota Dewey em Experiência e Educação.

É, pois, necessário aprender os conhecimentos já produzidos socialmente, mas com sua significação vital. Os conteúdos (a "matéria de estudos", como ele diz) são fundamentais e devem ter relação com a experiência vivida. Mas, e aí está a novidade das propostas de Dewey, é preciso também aprender a produzir continuamente conhecimentos e de maneira cada vez melhor. Pois, realizando adequadamente esse processo, as pessoas produzirão conhecimentos como instrumentos eficazes de ações acertadas. Uma educação intencional e cuidadosa é necessária para o desenvolvimento do processo adequado do pensar, observa Dewey em Como Pensamos.

## APRENDENDO O PROCESSO DO CONHECER

Conhecimentos e o domínio do processo de produzi-los não se adquirem por transmissão linguística diretamente de uma pessoa que o sabe realizar para outra que não o sabe bem. Conhecimentos somente são aprendidos ou desenvolvidos quando fazem parte da totalidade significativa de uma experiência qualquer e quando a pessoa que está a aprender vê-se envolvida na referida experiência. Isto é, só se aprendem significações ou conceitos no interior da prática e com vistas à prática. Ele oferece o exemplo do aprendizado do conceito ou da significação da palavra chapéu. A palavra, ou seus sons ou sua grafia, nada significa por si mesma. Uma criança só vai construir a noção de chapéu correspondente à palavra se houver ações de uso do objeto chapéu na sua experiência compartilhada com outras pessoas e se dessa experiência fizer parte a utilização da palavra. Os sons do vocábulo "chapéu" e o próprio objeto "chapéu" adquirem sentido por serem usados em determinadas situações. E tomam a mesma significação para a criança e para o adulto por serem usados por ambos em um ato comum.

Um exemplo de uma experiência dos dias de hoje pode auxiliar na compreensão do que ele quer dizer: uma avó e uma netinha de 4 anos estão prestes a atravessar uma rua. Diz a avó: vamos colocar os pés na faixa que os carros param. Os carros pararam e elas atravessaram. Do outro lado a menina olha para a faixa e para a avó e diz: é isso que é faixa de pedestre? A avó sorri e diz: sim, é isso mesmo. Neste contexto a menina constituiu o significado da expressão "faixa de pedestre". Não houvesse o uso da faixa ligado ao uso da expressão linguística mais a experiência pensada pela menina e reforçada pela avó, a significação não teria ocorrido.

De acordo com Dewey, há aí dois resultados: o primeiro diz respeito ao aprendizado de estabelecer significações novas na medida em que os sons linguísticos adquirem significação pela sua conexão com a atividade realizada no contexto social comum. O segundo diz respeito ao aprendizado da retomada reflexiva da produção compartilhada e primeira de qualquer significação, que é, por sua vez, uma produção que se dá na experiência comum e que dela faz parte, assim como fazem parte o uso prático de objetos, as atividades, os comportamentos, os resultados, etc. Produzir significação é um processo duplo: produz-se compartilhadamente alguma significação e se a apreende; e, ao mesmo tempo, compartilhadamente, aprende-se a produzir melhor novos sentidos ou novas significações. Aprende-se a aprender.

Dewey menciona explicitamente este segundo resultado após comentar a respeito da plasticidade do ser humano, a qual lhe permite aproveitar aprendizados de uma situação anterior para situações novas ou ulteriores. Ele afirma em Democracia e Educação que "isso traz a possibilidade de um contínuo progresso porque, aprendendo-se um ato, desenvolvem-se métodos bons para outras situações. Mais importante ainda é que o ser humano adquire o hábito de aprender". Aprender a aprender é aprender o método, ou seja, o processo do pensar reflexivo ou de produção de significações. A importância deste aprendizado na educação escolar é enfatizada na obra Como Pensamos, especialmente nos capítulos IV e V. "Aprender é aprender a pensar", escreve Dewey neste último capítulo, onde prossegue: "Do que ficou dito, é evidente que a educação, quanto ao seu lado intelectual, está vitalmente relacionada com o cultivo da atitude do pensar reflexivo, preservando-o onde já existe, e substituindo os métodos de pensar mais livres por outros mais restritos, sempre que possível. Naturalmente, a educação não se confina ao seu aspecto intelectual; abrange a formação de atitudes práticas de eficiência, o robustecimento e desenvolvimento de disposições morais, o cultivo de apreciações estéticas. [...] No momento, entretanto, ficamos apenas na face intelectual da educação: afirmamos enfaticamente que esta, em seu aspecto intelectual, consiste na formação de hábitos de pensar despertos, cuidadosos, meticulosos" (grifos no original).

O aprendizado dessa maneira de pensar é o próprio aprendizado do pensamento reflexivo que também é o aprendizado do método adequado do pensar.

Aí estão alguns dos princípios básicos do pensamento de Dewey nos quais aponta especialmente o seu entendimento da função eminentemente ativa e reconstrutiva da inteligência, que possibilita ao ser humano a constante, contínua e serial redireção da sua experiência com ponto de partida nas "combinações" que lograr fazer dos dados ou fatos de cada situação em que está envolvido. Para ele, tanto as combinações (estabelecimento dos nexos ou relações – presentes e possíveis) quanto as redireções (indicações dos novos sentidos ou novas direções da ação) são o que possibilita o rearranjo, ou a reconstrução da experiência que tem, na função intelectiva, uma condição necessária. A função intelectiva pode e precisa desenvolver-se constantemente. É necessário aprender a realizá-la competentemente e isso depende de direção educativa.

**EDUCAR: RECONSTRUIR REFLEXIVAMENTE A EXPERIÊNCIA**

Cabe à educação ser uma ajuda constante para que as pessoas aprendam a reconstruir reflexivamente a experiência. Educar é, na verdade, fazer isso, conforme ele afirma em Democracia e Educação: "Chegamos assim a uma definição técnica da educação: é uma reconstrução ou reorganização da experiência, que esclarece e aumenta o sentido desta e também a nossa aptidão para dirigirmos o curso das experiências subsequentes" (grifos no original).

Mas o que seria esclarecer e aumentar o sentido da experiência? Ele responde assim, na mesma obra: "O aumento ou enriquecimento do sentido ou significação da experiência corresponde à mais aguda percepção das conexões e das continuidades existentes no que estivermos empreendendo".

Aumentar o sentido ou a significação é perceber mais agudamente duas coisas: primeiro, as conexões ou relações na ação; e, segundo, as continuidades, isto é, as possibilidades futuras já implícitas na ação. A percepção mais aguda das conexões e das continuidades é, para Dewey, uma atividade cognitiva, ou inteligente, implicada no interior da experiência de viver e a ela necessária. Educar-se, ou ser ajudado educacionalmente, é aprender a ter percepções mais agudas das conexões e das continuidades: "Uma atividade que acarreta educação ou instrução faz a pessoa conhecer algumas das relações ou conexões que não eram antes percebidas". Assim, a pessoa passa a conhecer melhor e aprende a aprender, isto é, aprende a reconstruir ou reorganizar reflexivamente a experiência. Com isso ela esclarece e amplia o sentido da experiência e a aptidão para dirigir o curso das experiências subsequentes. Ao se referir ao segundo resultado, Dewey diz, em Democracia e Educação: "O outro aspecto de uma experiência educativa é o aumento da capacidade de direção ou regulação das experiências subsequentes. Dizer que alguém sabe o que vai fazer ou que pode provocar certas consequências é, naturalmente, dizer que pode prever melhor o que vai acontecer; que pode, por isso, preparar-se com antecipação para assegurar consequências benéficas e evitar as indesejáveis. Portanto, uma experiência genuinamente educativa que proporciona conhecimentos e aumenta as aptidões diferencia-se, de um lado, de uma atividade rotineira; e, do outro, de uma atividade caprichosa".

As mesmas ideias são ditas em Como Pensamos: "Trazendo à mente as consequências de diferentes modalidades e linhas de ação, o pensamento faz-nos saber a quantas andamos ao agir. Converte uma ação puramente apetitiva, cega e impulsiva, em ação inteligente" (grifos no original).

O crescimento intelectual não ocorre sem reconstrução contínua da experiência: "o processo educativo é um contínuo reorganizar, reconstruir, transformar" na e da experiência. É por isso que a teoria educacional de Dewey converge para o aprender a aprender o método adequado da investigação: sua teoria do conhecimento é uma teoria da produção de conhecimentos imbricada na sua teoria da experiência e ambas implicam necessariamente uma teoria educacional que tem seu ponto central numa teoria do aprender a aprender.

Isso não se aprende de uma só vez, pois demanda um processo contínuo de aprendizado que se dá na busca de saídas para as dificuldades de cada situação problemática na qual todos estamos envolvidos. Cada situação problemática é nova e cada aprendizagem diz respeito a ela. Mas, em cada uma delas, aprende-se um caminho de investigação que pode ser aplicado e adaptado às situações novas. O grande recurso ou instrumento vital do homem é o seu método de investigar; o seu método de reconstruir ou reorganizar constantemente a experiência.

Este é o processo de funcionamento inteligente da vida, que é um aprender continuado da e na experiência. Aprende-se a aprender em situação. Aprende-se a ser inteligente (a "ler por dentro" a experiência). Aprende-se a viver mais inteligentemente. Aprende-se a constantemente reconstruir ou reorganizar reflexivamente a experiência. Este é o objetivo da educação. E, aprender a ser inteligente, é aprender "[...] a observar, escolher e ordenar as coisas e os nossos próprios atos ou aptidões. E, fazer tais coisas, isto é, observar, escolher e ordenar quer dizer ter inteligência, espírito ou razão, porque razão ou juízo é precisamente atividade intencional e com um propósito, controlada pela percepção dos fatos e de suas relações recíprocas. [...] Um homem é estúpido, obtuso ou ininteligente – deficiente de espírito, sem juízo –, na proporção em que, em qualquer espécie de atividade, ele não conhece bem o que está fazendo e principalmente as prováveis consequências de seus atos", diz Dewey em Democracia e Educação.

Sem a percepção das relações que estão aí, agora, na experiência e das consequências da ação nela e sem a percepção das relações possíveis e das novas consequências daí deriváveis, a ação é cega, é privada de inteligência. O elemento intelectual cognitivo implicado na experiência humana é a "descoberta" e a "reconstrução" das relações e das consequências das mesmas.

Para Dewey, o que foi dito pode parecer aceitável, mas tem havido enganos nas teorias educacionais quando afirmam que as relações ou conexões podem ser percebidas apenas intelectualmente por uma "consciência' ou "razão" situada acima da experiência. Tal "consciência", "razão" ou "espírito" prestaria atenção à realidade e, de alguma forma, perceberia as suas relações. Essas teorias, partidárias do dualismo psicofisico, não veem as relações constituindo-se e podendo ser reconstituídas no interior da experiência que é sempre em devir, em processo. Para elas, ou as relações estão dadas prontas nos puros dados da realidade (empiricismo), ou são realizações de relações transcendentais que se "imprimem" nos dados da realidade (idealismo). O "espírito" ou a "consciência" presente nos seres humanos tomaria ciência delas.

Para ele isso não é possível: os seres humanos estão imbricados na realidade, que é um experienciar contínuo, e a experiência de viver se dá nas interações deles com seu ambiente. As interações definem as situações e os próprios homens e são elas que produzem não só as relações, como a forma ou o método de apreendê-las com vistas às novas relações e às novas situações. Este é o processo contínuo de reconstrução e reorganização da experiência que os homens aprendem a fazer, fazendo-se como seres humanos, em função de suas necessidades.

Os dados da experiência "fazem" a significação na interação deles entre si, na interação deles com o todo orgânico da situação e na interação deles e da situação com as "escolhas" humanas significadas (indicadas) pela atividade intelectual. Aprender da experiência "é fazer uma associação retrospectiva e prospectiva entre aquilo que fazemos às coisas e aquilo que em consequência essas coisas nos fazem gozar ou sofrer". Para fazer esta "associação retrospectiva e prospectiva" é necessário ter pensamento reflexivo. "O pensamento ou a reflexão [...] é o discernimento da relação entre aquilo que tentamos fazer e o que sucede em consequência", escreve em Democracia e Educação.

Ser educado é ser capaz de realizar bem a reconstrução ou reorganização da e na experiência como condição fundamental da ação inteligente. Ser educado é, portanto, ser desenvolvido num método adequado de produzir significações capazes de orientar competentemente as ações seguintes, ou seja, a continuidade da experiência numa direção conscientemente escolhida.

## EDUCAR: DESENVOLVER A CAPACIDADE DE PENSAR

A tarefa primordial da educação é o cultivo deliberado do pensar reflexivo: "[...] tudo o que a escola pode ou precisa fazer pelos alunos no que visa à sua mente ou seu espírito (isto é, salvo certas habilidades musculares especializadas) é desenvolver sua capacidade de pensar" (grifo no original), diz Dewey em Democracia e Educação. Pensar, prossegue enfaticamente, "é o método de se aprender inteligentemente". Pensar é método: é caminho, é processo, é atividade; "[...] é que o ato de pensar é por si mesmo um método, o método da experiência inteligente em seu curso". Não há ato de pensar desvinculado da sua função imbricada no processo contínuo de adaptação dos seres humanos no seu ambiente. Daí que a tarefa fundamental da educação é a de desenvolver a capacidade de pensar que nada mais é que proporcionar o cultivo do método da experiência inteligente, ou seja, do método adequado da investigação. Ele indica os passos ou momentos desse método que se deve aprender.

O primeiro é o de "estar em experiência" ou o de sentir-se nela e se colocar observadoramente atento a ela; o segundo é o de saber estar atento às dificuldades ou aos problemas aí implicados; o terceiro passo é saber identificar os dados da situação e sua pertinência às possíveis soluções dos problemas. Nesse terceiro momento está um aspecto fulcral do pensamento reflexivo. Não é "só ir aos dados": é ir inteligentemente a eles, "lendo-os por dentro", nos seus nexos na situação.

Pois, "[...] o material para o pensamento não são os pensamentos e sim as ações, os fatos, os acontecimentos e as relações entre as coisas". Parece estranha a afirmação de que os pensamentos não são o material do pensamento. Não o são, pois eles são, sim, o resultado do pensar. Os materiais do pensar são os "dados" e suas relações e inter-relações na situação. Em Como Pensamos, ele afirma que "Os dados formam o material a ser interpretado, considerado, explicado" pela operação do pensamento, pela atividade inteligente que os lê e os relê, tomando-os no seu contexto situacional. É uma transformação dos objetos (que por si mesmos nada dizem) em "dados" de uma situação, que passam a significar algo devido às suas relações e inter-relações na e com a mesma. Fazer isso, operacionalmente e inteligentemente, é envolver-se numa experiência inteligente. Nela o pensar dá conta da análise, da interpretação, da consideração, da explicação. Mas os seus "materiais" não são primariamente os pensamentos e sim os dados: e nem são os objetos isolados uns dos outros e observados em si mesmos. São os objetos transformados em "dados" da e na situação, isto é, considerados nos seus nexos. É um verdadeiro "pensar experimental" que re-arranja os objetos como dados. Em La Busca de la Certeza, ele desenvolve essa questão: "Porque a investigação ou o pensar experimental significa atividade dirigida, um fazer que altera as condições nas quais os objetos são observados e são tidos diretamente e que os dispõe ou re-arranja numa forma diferente. [...] o primeiro efeito da análise experimental consiste em reduzir os objetos diretamente experimentados a dados. Esta redução é necessária porque os objetos, tal como são experimentados diretamente, são equívocos, obscuros, fragmentários; de algum modo deixam de responder a uma necessidade" (tradução minha, grifo no original).

Se, em lugar de dados chamássemos os objetos da situação problemática de "tomados" (escolhidos), tudo ficaria mais claro, diz ele.

Só que este operar com os dados e com as ideias sugeridas por eles não restringe o uso operacional das ideias apenas às ideias que são produzidas-construídas naquela situação em particular. Ideias ou pensamentos já tidos em outras situações são possíveis dados do pensar a serem re-tomados em novas situações, a serem re-construídos ou re-arranjados com vistas às novas soluções necessárias. Estes pensamentos já tidos, ou estes "conhecimentos", são uma espécie de "capital" a ser empregado também, mas não só, nas futuras investigações. Daí ele dizer que conhecimento, no sentido de informação, significa o capital atuador, os indispensáveis recursos para ulteriores investigações – para descobrirem-se ou aprenderem-se mais coisas. Conhecimentos só têm sentido se forem este "capital atuador", ou passíveis de serem utilizados como recurso ou instrumento no jogo operacional e reflexivo do pensar, ou no jogo investigativo. Neste sentido, as informações são, também, dados. Assim devem ser os conteúdos escolares, por exemplo, na medida em que sejam trabalhados com significação vital ou ligados à experiência comum, como dito anteriormente.

## AGIR E PENSAR

Ter estes dados por tê-los de nada adianta: tornam-se pesos mortos. Operar reflexivamente por operar, também não. Torna-se um operar vazio, ou no vazio. Em Democracia e Educação, Dewey escreve que "[...] conhecimentos informativos separados da ação reflexiva são conhecimentos mortos, peso esmagador para o espírito. [...]. O único caminho direto para o aperfeiçoamento duradouro dos métodos de ensinar e aprender consiste em centralizá-los nas condições que estimulam, promovem e põem em prova a reflexão e o pensamento".

Para ele não há como operar só com ideias ou só com dados experimentais. Não há possibilidade do "só idealismo" ou do "só empiricismo". A possibilidade única é a do que ele denomina de experiencialismo, ou seja, a do acontecer da experiência humana que tem como suas componentes indissociáveis o pensar, o agir, os "dados existenciais e não existenciais" e todas as relações ou conexões que, "inteligidas", podem produzir as significações. Não se pode falar em isso ou aquilo e, muito menos, em dualismos. Tudo é uma única, contínua e progressiva experiência que contém estas componentes em interação.

O elemento privilegiado aí é o poder dar-se conta de tudo isto pela intelecção. A intelecção, ou a inteligência (a racionalidade), é o elemento decisivo da qualidade da experiência humana. Dewey é um iluminista. Mas, para ele, a explicação da inteligência ou da racionalidade não se encontra nem nos cânones do idealismo nem nos do empirismo: a explicação se encontra no seu funcionalismo ou no seu instrumentalismo. Ou no seu pragmatismo que é, também, denominado de progressivismo.

## IDEIAS COMO PLANOS DE AÇÃO

Há ainda um quarto momento do método de investigação: o "momento" da produção das significações, ou seja, o momento da produção das indicações, ainda intelectuais, das possíveis consequências a serem buscadas mais seguramente na experiência através de possíveis novas ações (que as provarão, ou não, verdadeiras). É o momento que ele chama de produção de ideias como planos de ação. Sobre isso, Dewey diz em Democracia e Educação: "No ato de pensar, depois de considerarmos a necessidade de fatos, dados, conhecimentos já adquiridos, devemos examinar os seus correlatos que são sugestões, inferências, interpretações conjecturais, suposições, explicações testadas: em suma – ideias. A observação cuidadosa e a cuidadosa recordação revelam o que já se acha nas coisas, o que já está presente e, por isso, os dados. [...] Os dados despertam as sugestões e só em relação com esses dados especiais é que poderemos apreciar a propriedade das sugestões. Mas as sugestões, por outro lado, se projetam para além dos dados da experiência. Elas preveem resultados possíveis, coisas a fazer e, não, fatos (coisas já feitas). A inferência é sempre uma invasão no desconhecido, um salto dado daquilo que é conhecido para o desconhecido" (grifos do autor).

Esta é a culminância do método do pensar reflexivo: o produzir ideias que são sugestões de ações que precisam ser postas à prova na experiência.

É este pensar reflexivo, capaz de produzir ações inteligentes na experiência, que é o objetivo da educação. Esta é a proposta básica do pragmatismo de Dewey, ou do seu denominado progressivismo, ou ainda do instrumentalismo. Proposta que traz também um alerta: não se trata de eliminar os estudos dos conteúdos escolares, mas sim de ressignificá-los buscando sua relação com a experiência e, a par disso, cuidando da maneira de pensar dos estudantes. Os dois aspectos não mereciam, por parte da denominada educação tradicional, a devida atenção. Dewey os enfatizou de modo especial pelas razões aqui expostas.

# O legado - II

# FÉ NA EDUCAÇÃO

por Leoni Maria Padilha Henning

Dewey quer estabelecer um conjunto de princípios bem elaborados e organizados, resultante de sua crença insofismável no poder da experiência natural humana

As expressões "fé na educação" e "otimismo pedagógico" têm sido apontadas como características do pensamento deweyano. Aliás, reconhece-se amplamente a Escola Nova como o importante movimento educacional que serviu de veículo divulgador dessa enorme esperança na educação, uma vez que uma significativa parcela dos seus intelectuais foi guiada grandemente pelo filósofo norte-americano.

Diante desse traço particular de Dewey, iremos nos basear neste artigo, de modo especial, em "Meu Credo Pedagógico", apoiando-nos em outros textos que Dewey legou aos interessados na cultura pedagógica.

## O CREDO PEDAGÓGICO

O artigo "Meu Credo Pedagógico" ["My Pedagogic Creed"] apareceu pela primeira vez no School Journal, em janeiro de 1897, durante a fase em que Dewey gozava de grande reconhecimento e conquistava leitores e admiradores enquanto trabalhava na Universidade de Chicago. Foi o período em que ele desenvolveu trabalhos tanto em filosofia quanto em psicologia e pedagogia, criando a Escola Laboratório junto àquela instituição, justamente para enfrentar uma das problemáticas mais prejudiciais para o avanço do conhecimento segundo a sua opinião: o dualismo entre pensamento e ação, expresso através de outros pares tomados como opostos e, muitas vezes, como irreconciliáveis, como por exemplo, a teoria e a prática.

Observando na sua biografia o período em questão, captamos a figura de um ainda jovem professor e pesquisador mas que já ocupara cargo administrativo como chefe do departamento de filosofia, apresentando um espectro de interesses amplos e formas de elaboração teórica variadas, dentre as quais encontramos, então, o escrito sobre o qual nos debruçamos nesta análise.

Inicialmente, nossa atenção se orienta exatamente para o título. O que seria um credo? Conforme o Dicionário Houaiss, o termo se refere às primeiras palavras de conhecida oração da liturgia católica, "Creio em Deus Pai", que "sintetiza os artigos essenciais do cristianismo", referindo-se nesse caso às expressões: "creio em Deus Padre" ou "em Deus Pai"; ou diz respeito à "parte do ofício religioso cristão que começa com essa oração, quer recitada, quer cantada". Do ponto de vista religioso geral, pode-se dizer que a palavra refere-se à crença religiosa ou profissão de fé. Contudo, encontramos uma derivação por extensão de sentido significando ainda um "conjunto de princípios, normas, preceitos, crenças por que se pauta uma pessoa, uma comunidade, seita, partido etc.".

Nessa perspectiva, tentaremos entender nesta análise o significado dessa palavra no interior do pensamento deweyano, ou buscaremos captar qual seria o conteúdo pinçado do vocabulário pelo autor, para realizar o seu ensejo nessa elaboração concisa e categórica. Observa-se, ao longo da leitura, que Dewey se utiliza da estrutura de uma profissão de fé para apresentar as suas ideias pedagógicas, as quais, nos parece, querer vê-las tomar o forte sentido, a seriedade e o comprometimento de uma oração: "eu creio que...".

## OS CINCO ARTIGOS DE FÉ

"Meu Credo Pedagógico" foi traduzido para diversas línguas a partir da década de 1910. Em 1913, para o italiano; em 1925, para o alemão; em 1931, para o espanhol; e em 1933, para o polonês. No Brasil, aparece traduzido para o português no livro Pedagogia, organizado por Antônio D'Ávila, em 1954, e publicado pela Companhia Editora Nacional. Trata-se de um texto curto, mas muito significativo, uma vez que apresenta os princípios gerais que constituem a espinha dorsal do seu pensamento sobre educação. Nos anos seguintes a este trabalho, assistimos a uma intensa, fecunda e muito influente produção do autor, como os títulos: The School and Society (1900); The Child and the Curriculum (1902); The Influence of Darwin (1910); Democracia e Educação [Democracy and Education] (1916); Human Nature and Conduct (1922); Experiência e Natureza [Experience and Nature] (1925); The Quest for Certainty (1929); "What I Believe" (1930); Philosophy and Civilization (1931); Arte como Experiência [Art as Experience] (1934); Experiência e Educação [Experience and Education] (1938); dentre outros.

## O PRIMEIRO CREDO

No conjunto dos cinco artigos que compõem o seu credo, Dewey inicia com uma questão fundamental: "o que é educação", diante da qual arrola as suas bem concatenadas crenças tendo como ponto fulcral a estreita e orgânica inter-relação existente entre o indivíduo e a sociedade ou a necessária integração que deve haver entre os aspectos psicológico e sociológico presentes no processo educativo. Essa conexão entre os aspectos individuais ou psicológicos e os sociais ou sociológicos se torna um dos eixos presentes em todo o texto e, como se sabe, um problema central para as suas reflexões.

Dewey apresenta as suas considerações a partir do que ele chama de "educação inconsciente", que diz respeito ao processo que se inicia desde o nascimento, quando o indivíduo começa a participar da "consciência social da raça". É por esta forma de educação que o indivíduo compartilha dos "recursos intelectual e moral que a humanidade empreendeu para integrar a todos", de modo que, assim, vai se tornando "um herdeiro do lastro consolidado da civilização". Conduzindo-se para as condições formais de educação, o autor chama a atenção sobre o delicado mas necessário equilíbrio que deve ocorrer entre as ações do educando, pautado em suas necessidades e impulsos individuais, e as do professor, que representa os anseios da sociedade em ajustar cada qual à civilização de que faz parte. Compreender adequadamente as ações da criança impõe-nos que as compreendamos em relação às atividades prévias da raça, projetando-as, ao mesmo tempo, ao futuro para captarmos os resultados e consequências sociais que poderão delas decorrer. O poder do indivíduo deve ser avaliado em relação a sua capacidade de realizar significativo serviço social, ou seja, ele só tem valor se considerarmos o seu fim, uso ou função. Paralelamente ao conhecimento sobre o impulso ou a força subjacente aos interesses da criança que afloram nas suas mais diversas expressões, é preciso, igualmente, que se conheçam as condições sociais efetivas para a realização desses interesses.

## O SEGUNDO CREDO

Seguindo a mesma forma de apresentação do conceito de educação (espontânea e formal) presente na Democracia e Educação, obra escrita posteriormente de forma mais aprofundada, Dewey parte em seguida para as suas considerações sobre "o que é a escola" – artigo dois do seu credo, no qual esclarece sobre o aspecto social da educação: "Eu creio que a escola é primeiramente uma instituição social". Se o processo educacional conduz a criança a participar da herança social da humanidade, a escola é organizada para desempenhar essa função, tornando cada um apto a exercitar as suas capacidades em vista do benefício social. Dessa forma, tal uma miniatura da sociedade ou forma embriônica de vida social, a escola possibilita a prática de uma verdadeira vida comunitária introduzindo gradualmente a criança às variadas atividades, de forma a não ser tomada de assalto. Assim, sendo mais bem preparada pela escola para colocar as suas capacidades em ação de modo mais produtivo e equilibrado, a criança vai se sentindo parte integrante do grupo social.

É conhecida a expressão própria da Escola Progressiva – a qual em grande medida foi elaborada com base nas sugestões de Dewey – de que a educação é vida, é experiência, uma vez que é necessidade vital, e que, portanto, se realiza continuamente. Nesse particular, é pertinente lembrarmos a discussão que o autor apresenta em Democracia e Educação a respeito de vida e experiência. Lembra-nos Dewey que "vida" pode referir-se, de modo mais simples, à fisiologia, aos aspectos físicos de um vivente, indivíduo ou espécie que luta para continuar vivo, mas, numa interpretação mais ampla, diz respeito ao conjunto de experiências realizadas por alguém ou por um grupo. Nesse caso, percebe-se ainda o princípio de continuidade, uma vez que a vida se renova continuamente. "Com o renovar da existência física, também se renovam, no caso de seres humanos, as crenças, ideais, esperanças, venturas, sofrimentos e hábitos", afirma o autor em Democracia e Educação. Entendida a educação de uma forma bem ampla – prossegue ele –, seria "[...] o instrumento dessa continuidade social da vida", que, quando planejada com a intencionalidade de continuar, preservar, renovar a vida social, se realiza em associações de adultos e jovens, cuja instituição social para a renovação da vida social se formaliza em escola. O perigo nessa passagem, preocupa-se Dewey, diz respeito principalmente ao risco de distanciamento da realidade efetiva, produzido pela escola, na qual os atores escolares verdadeiramente produzem a sua vida. Por isso, para ele, a escola precisa representar a vida presente e real o quanto possível. Um começo fundamental para a garantia do crescimento contínuo da criança é a consideração nos ensinamentos e experiências adquiridos na sua educação domiciliar, uma vez que o lar é o grupo social imediato em que a criança aprende os valores morais básicos e deve perceber sentido e continuidade na aprendizagem nova em relação com a já adquirida. Nesse sentido, cumpre-se a conexão indispensável para a educação da criança entre a necessidade psicológica e a necessidade social.

Entendida assim a escola, rejeita-se o significado de que essa instituição tem como papel fundamental e mais importante a transmissão de informações, a garantia de assimilação de conhecimentos ou a aquisição de certos hábitos tomados como indispensáveis à formação elementar das crianças. Dewey acredita que a escola não deve tomar como principal tarefa a "preparação para a vida" uma vez que já é vida.

Crendo na educação moral como o eixo que evidencia o significado da escola como modo de vida social, Dewey assevera que o melhor treinamento moral é aquele que ajuda o indivíduo a se relacionar adequadamente com os demais membros sociais numa unidade de trabalho e pensamento. Nesse sentido, o papel do professor, como um dos membros presentes na comunidade escolar, é selecionar tudo aquilo que pode influir no desenvolvimento da criança, ajudando-a igualmente a responder aos estímulos do ambiente em que vive de forma apropriada. O professor não determina o que deve ser ensinado, pensado ou assimilado como hábito. É a vida social da escola como um todo que molda o que é lícito para cada um, enquanto integrante e corresponsável pela continuidade da associação. Dessa forma, a avaliação escolar deve pautar-se na prontidão e adequação da criança para a vida em sociedade.

### O TERCEIRO CREDO

No artigo três do seu credo, Dewey trata das matérias escolares. O ponto de partida para qualquer ensinamento deve ser sempre, segundo o seu entendimento, a "vida social" que a criança vai assimilando desde o início de sua existência, constituindo assim uma unidade inconsciente de experiências, a base para as demais atividades que desenvolverá no decorrer de sua existência. Desse modo, toda e qualquer disciplina deve partir dessa "inconsciente unidade primitiva de vida social", diz ele em "Meu Credo Pedagógico", para, gradualmente, possibilitar e desenvolver as diferenciações no âmbito dos conhecimentos específicos, permitindo que realize com igual importância aquelas atividades que possibilitaram a construção das civilizações. Com efeito, tanto as matérias de estudo quanto as atividades como cozinhar, costurar, construir etc., devem ser ensinadas e praticadas na escola, uma vez que estas últimas são, igualmente, formas fundamentais de vida social e excelentes veículos para introduzir a criança às disciplinas de estudo mais formais.

O fator regulador para a aquisição dos conhecimentos é, portanto, a experiência da criança, que é sustentada no arcabouço e na prática da vida em sociedade, no sentido de que tais conhecimentos devem permitir que ela conheça melhor a sua realidade e a herança na qual se encontra incluída num processo contínuo de vida e de educação. Assim, Dewey desconsidera a ordenação das disciplinas a ser obedecida pelo professor, mas, diferentemente, entende que o crescimento/desenvolvimento da criança está diretamente ligado às novas atitudes e interesses relacionados à experiência que realiza.

Para Dewey, o objetivo da educação está em seu próprio processo de reconstrução da experiência, daí o mote que tanto tem sido imputado ao autor – como à Escola Nova – do "aprender fazendo". Nesse sentido, não haveria um primeiro momento de aquisição do conhecimento separado de um outro em que a criança participaria mais ativamente, nem tampouco qualquer objetivo alheio e fora desse processo de ensinar-aprender-praticar.

**O QUARTO CREDO**

A natureza do método é tema do quarto artigo do seu credo. Aqui novamente Dewey insiste na indispensabilidade de se considerar "a própria natureza da criança" como base das iniciativas educativas, nesse caso particular, ao se tratar da forma como os conteúdos devem ser apresentados. Isto quer dizer que a atividade é inerente ao desenvolvimento infantil, uma vez que, para ele, a ação é sempre anterior à ideação ou qualquer outra atitude de ordem mais passiva, entendendo ainda que a própria consciência é impulsiva e motora no sentido de que os estados conscientes tendem a projetar-se em ações contínuas. Assim se dão, observa o autor, os equívocos cometidos na escola quando se colocam as crianças em situações de completa assimilação passiva das informações, numa atitude de descaso sobre a sua natureza ativa. Para ele, os processos intelectuais também resultam da ação e servem para melhorar as ações futuras. "O que designamos por razão é primeiramente a lei da ação ordenada ou efetiva", assegura Dewey. Todo o esforço em se desenvolver a racionalidade sem a consideração devida aos meios para a ação se torna iniciativa inócua em educação. Símbolos e imagens são recursos importantes para o desenvolvimento mental da criança, mas devem resultar grandemente da sua própria construção e servir diretamente como instrumentos facilitadores nos seus esforços em lidar com as suas experiências.

Dewey acredita que a observação dos interesses da criança é fundamental na educação, uma vez que torna sintomático o estágio de desenvolvimento em que ela se encontra, permitindo a apreensão do processo subsequente, o qual toma impulso pela força que subjaz e que se mostra nesses interesses, na prontidão, na vigilância e na curiosidade infantil. Tomando-os por base então, o professor poderá entrar no mundo infantil com chances maiores de sucesso em suas ações pedagógicas, do contrário, poderá estar se pautando na superficialidade e nos caprichos revelados pela criança. Dewey defende ainda a necessidade de se considerarem as emoções como reflexos das ações, num combate à estimulação do "sentimentalismo" próprio das situações que divorciam os sentimentos das ações, gerando estados mentais nada saudáveis.

**O QUINTO CREDO**

No seu quinto artigo, Dewey expõe as suas crenças quanto à escola e ao progresso social. A correlação entre esses dois fatores é estreita, pois o primeiro é fundamental e o meio mais seguro para que ocorra o segundo. Assim, para que se realize a reconstrução social ou a reforma desejada, a educação há de operar como é de sua natureza, a saber, como o fator regulador mais eficiente para possibilitar a participação dos indivíduos na consciência social. Contudo, cada indivíduo precisa formar o seu correto caráter, o que só é possível através dos meios que a comunidade em que eles vivem possibilita, em cujo contexto encontra-se a escola – que opera determinantemente na formação ética, sendo, portanto, um dos mais influentes organismos sociais e o mais importante e efetivo fator para a reforma e progresso social, na opinião dele.

Dentre os meios que a sociedade possui para regular o seu funcionamento como as leis, a punição, os debates etc., a educação se salienta como aquele através do qual "a sociedade pode formular seus próprios objetivos, organizar seus próprios meios e recursos e, assim, formar-se com precisão e economia, na direção em que deseja mover-se", continua Dewey em "Meu Credo Pedagógico". Ele assevera que, no momento em que a sociedade despertar para a força da escola na sociedade, perceberá as ricas possibilidades da educação, as obrigações que tudo isso implica e, portanto, os recursos necessários que devem ser postos ao dispor dos seus agentes.

Além disso, é na escola que a ciência e a arte estreitam os laços mais íntimos e, quanto mais isso for estabelecido nas escolas, o maior sucesso na formação individual e social será atingido. Dewey aposta com muito otimismo no crescimento da psicologia e sociologia, observado em seu tempo, para o desenvolvimento da educação.

Nos últimos parágrafos do seu credo o autor dedica respeito e consideração ao professor como aquele que não somente forma indivíduos, como também aquele que molda a própria sociedade. Contudo, exige dele dignidade e compromisso com respeito às tarefas que a ele são confiadas, uma vez "que ele é um servidor público reservado à manutenção de uma adequada ordem social e à garantia do correto crescimento social". Finalizando, Dewey imprime ao seu credo pedagógico uma forma poético-religiosa, afirmando: "Creio que nesse sentido o professor é sempre o profeta do verdadeiro Deus e o guia do verdadeiro reino de Deus".

## CRENÇA NO HOMEM E NA EXPERIÊNCIA

Em conferência dada na PUC de São Paulo, "Duas Genealogias da Ação no Pragmatismo", em 2006, Russell B. Goodman, apresentando alguns dados biográficos do autor, pontua que Dewey praticou de modo intenso a fé cristã durante a década de 1880, quando já era professor em Michigan. Segundo Goodman, Dewey pode ser caracterizado, nesse período, como um hegeliano cristão, uma vez que afirmava que o hegelianismo ou o idealismo absoluto se assemelhava ao cristianismo. De acordo com Goodman, Dewey dava aulas e proferia palestras sobre assuntos cristãos e a Bíblia, publicando o resultado desse trabalho nos periódicos religiosos como o Andover Review. Contudo, após 1892, quando se casa, começa a se desligar do cristianismo, embora o faça de forma gradual, fato exemplificado por Goodman quando se refere ao "Meu Credo Pedagógico", que, segundo ele, ainda preserva estrutura e expressões religiosas. Além disso, segundo Goodman, Dewey conserva um forte apelo moral em seu discurso, o que entende ser fruto dessa sua marcante experiência religiosa inicial.

Apesar dessas ideias de Goodman, encontramos no credo de Dewey uma forte ênfase na experiência existencial, vinculada à comunidade, aos interesses, à educação que é vida e não mais uma preparação para a vida ou para além do presente vivido e experimentado.

Quando então escreve em 1930 "What I Believe", Dewey afirma enfaticamente: "A religião tem saturado com o sobrenatural – e sobrenatural significa precisamente aquilo que se encontra para além da experiência". Além disso, Dewey queixa-se: "Os códigos morais têm sido ligados a este sobrenaturalismo religioso tomando-o como fundamento e sanção". Com efeito, Dewey pondera: "Contrastando com tais ideias, profundamente arraigadas na cultura ocidental, a filosofia da fé na experiência oferece um significado acurado e profundo" (grifos nossos).

Parece-nos então que, conforme posto no início deste ensaio sobre os diversos sentidos da palavra "credo", nos resta ficar com aquele estabelecido como um "conjunto de princípios, normas, preceitos, crenças por que se pauta uma pessoa, uma comunidade, seita, partido etc." para caracterizarmos o escrito aqui estudado. Considerando-se o período da vida do autor em que elabora o seu credo, percebemos que ele prepara uma fase ainda mais rica de produção intelectual. Nota-se que já neste escrito há um distanciamento dos aspectos sobrenaturais para tratar da educação do homem; um naturalismo que será cada vez mais aprofundado em seu pensamento; a crença, que vai sendo cada vez mais fortalecida, na ciência como fundamento da ação humana e do agir moral, em particular; o combate aos dogmatismos e à autoridade tradicional, como insiste em seu "What I Believe" quando afirma que: "Fé, no mais novo sentido, significa que a experiência é a única e a mais fundamental autoridade". Assim, para o filósofo de Vermont, somente a experiência provê o indivíduo de todo o material fundamental indispensável e necessário ao aprimoramento de sua vida, assim como as possibilidades contidas nesse dinâmico e vívido processo é que lhe fornecem todos os fins e ideais para a regulação da sua conduta.

Decisivamente, o credo deweyano – não obstante os últimos parágrafos em que Dewey pode tão somente ter feito uso de recurso poético – apresenta um apelo à valorização do presente e da realidade imediata, denunciando, subliminarmente, as tentativas de fuga daquilo que se revela no cotidiano da vida comum, a saber, as incertezas, as confusões, a fragilidade da existência, conduzindo muitas vezes o homem para a busca numa realidade superior ao mundo experienciado. Daí nos parece evidente que Dewey quer estabelecer um conjunto de princípios bem elaborados e organizados, resultante de suas crenças que decorrem da fé insofismável no poder da experiência humana e natural.

O adjetivo "pedagógico" acrescido ao seu credo e a formulação de princípios fundamentais concatenados e bem argumentados, oferecendo assim a sua contribuição à teoria pedagógica através da sua interpretação ampla e profunda a respeito da educação, conferem a Dewey o merecido título de filósofo da educação. Ademais, restando dúvidas quanto à argumentação apresentada no referido e breve texto, ele oferece uma ampla e indiscutivelmente significativa obra composta por inúmeras outras publicações que poderão ser consultadas, interpretadas e criticadas.

# *O legado - III*

# INVESTIGAÇÃO, EDUCAÇÃO E DEMOCRACIA

por Rita Pimenta

A teoria da investigação de Dewey se revela como alternativa decisiva, pois busca a deliberação, a possibilidade de troca e discernimento na organização do conhecimento, evitando promover a desigualdade

Dewey é, reconhecidamente, o filósofo da democracia. Neste artigo veremos que a lógica ou teoria da investigação deweyana constitui-se pelo mesmo processo que forma o que Dewey nomeou de pensamento reflexivo, o qual tem como fim último a construção de uma sociedade democrática, cujo início se dá na escola.

No livro Como Pensamos, Dewey afirma que o pensamento reflexivo envolve a formação de juízos. Pensar não é só uma sucessão de coisas pensadas; ele aspira a chegar a uma conclusão e faz "um ativo, prolongado e cuidadoso exame de toda crença ou espécie hipotética de conhecimento, exame efetuado à luz dos argumentos que a apoiam e das conclusões a que chega".

Caracterizado como um processo, o pensar reflexivo, também denominado investigação, começa por um estado inicial de dúvida que o origina, desencadeando um ato de inquirição que se destina a encontrar material suficiente para esclarecer tal perplexidade.

Dewey defende que o ato de pensar reflexivamente deve constituir um fim educacional, pois pensar converte uma ação puramente impulsiva em ação inteligente. Assim, aprender é aprender a pensar, e a educação, além de abranger a formação de disposições morais e o cultivo de apreciações estéticas, está relacionada com o cultivo da atitude do pensar reflexivo, isto é, com a formação de hábitos de pensar cuidadosos, meticulosos. O pensar reflexivo como um fim educacional possibilita a ação com finalidade consciente. Estarmos dispostos a manter e prolongar o estado de dúvida é o que garante pensarmos verdadeiramente bem. Disso resulta que a investigação nos permite não aceitarmos nenhuma ideia sem que as suas razões tenham sido descobertas.

Com respeito às finalidades da educação, Dewey considera a necessidade de entrelaçar os princípios da teoria lógica e as qualidades morais, para que, com o espírito investigativo, os alunos perguntem sobre a significação do que aprendem. Entretanto, Dewey adverte que, na escola, a principal finalidade acaba sendo formar hábitos mecânicos, sendo expulsa a capacidade de maravilhar-se. Neste sentido, a escola busca o ideal educativo de fazer adquirir habilidades automáticas e acumular certa quantidade de conhecimentos, pois há uma tendência a dar maior importância ao produto do que ao processo.

Porém, o que é vital para a educação é o cuidado de salvaguardar os processos de pensar, para que ele seja reflexivo. Pessoas que pensam, tomando o pensar no sentido aqui considerado, pesam, comparam, deliberam. Para Dewey o professor atento às maneiras por que funciona o pensamento na experiência do aluno será capaz de evitar a identificação do lógico como uma organização já pronta da matéria.

## A TEORIA DA INVESTIGAÇÃO E A FORMAÇÃO DA SOCIEDADE DEMOCRÁTICA

Em Democracia e Educação, Dewey afirma que a formação de juízos só ocorre em uma sociedade democrática. Por acreditar nisso, ele parte da crítica de uma sociedade que se mostra bipartida em uma trabalhadora e outra ociosa. Para ele, só poderemos criticar com honestidade a divisão da sociedade em funções e classes separadas na medida em que deixarmos de perpetuar práticas educativas dicotômicas.

Uma sociedade verdadeiramente democrática é uma sociedade em que todos tomam parte em serviços práticos e todos desfrutam nobres ócios. Assim, é requerida uma transformação educacional. O problema da educação com vistas a uma sociedade democrática é acabar com aquele dualismo, viabilizando a reflexão para todos, isto é, tornando todos capazes de construir seus próprios juízos.

Conforme Dewey, o ato de pensar deve levar-nos a aprender mais coisas sobre nós e sobre o mundo em que vivemos, evitando que fiquemos à mercê de nossos hábitos rotineiros e da direção autoritária dos outros. Para isso, o professor deve encorajar seus alunos à variedade de modos para resolver as questões propostas. O processo educativo é medido pela qualidade dos processos mentais, e não pela obtenção de respostas certas.

Por tudo isso, para Dewey, as coisas essenciais em educação dizem respeito às que são socialmente mais fundamentais. Por isso, a educação deve antes ser humana e, só depois, profissional. A educação que partilha de responsabilidades sociais precisa apresentar situações cujos problemas sejam relevantes para a vida em sociedade; portanto, é artificial a separação entre a vida social e a escola. O ensino consciente liberta o ser humano de suas rudezas, tornando sua atividade mais rica de significação.

Para Dewey, quando as coisas possuem para nós uma significação, e isso só acontece quando construímos juízos, temos consciência do que fazemos. O problema de não sermos capazes de formar juízos é que muitos hábitos acabam nos possuindo mais do que nós a eles. Ter ideia a respeito de uma coisa é ser capaz de reagir a ela, considerando seu lugar em um plano de ação, prever suas modificações e as consequências de tudo isso. Dessa discussão, a principal decorrência educacional é que o processo educativo é uma contínua reconstrução da experiência, que esclarece e aumenta o sentido desta.

Entretanto, Dewey tem plena consciência da dificuldade que se apresenta à construção de uma sociedade democrática, mas considera que, embora as dificuldades sejam visíveis, essa construção não é impossível, por isso defende que a principal tarefa da educação é lutar para que a eficiência social e a cultura pessoal sejam coisas idênticas. Nas sociedades não democráticas, o que há é reprodução sem reflexão. Os seres humanos são sujeitados aos caprichos e às vontades daqueles considerados superiores.

O verdadeiro valor da escola é seu efeito caracteristicamente humano, e por isso Dewey defende que liberdade significa o papel desempenhado pelo ato de pensar. No aprendizado, isto significa "iniciativa intelectual, independência na observação, invenção judiciosa, previsão de consequências e engenho na sua elaboração".

Todavia, para Dewey, em uma sociedade em que se espera que a maioria dos alunos não tenham objetivos ou ideias próprias e, por isso, recebam as ordens dos detentores da autoridade, a servidão mental é necessária para disciplinar as massas.

É importante destacar, no entanto, que, no entender de Dewey, tanto a sociedade quanto a escola democráticas são ideais ainda não realizados. A transformação social requer que "todas as pessoas se ocupem com alguma coisa que torne a vida das outras pessoas mais digna de ser vivida", suprimindo as barreiras que os distanciam.

Não há democracia sem educação reflexiva, e não há educação reflexiva sem democracia. Se tomarmos tal situação como problema, segundo a conceituação deweyana, percebemos que Dewey nos apresenta uma proposta: criar nas escolas uma projeção do tipo de sociedade que almejamos, para que as pessoas ali formadas transformem a sociedade vigente. Assim, a mudança depende de uma "reconstrução educacional". Mas precisamos enfrentar o fato de que muitos homens ainda querem o apoio das crenças impostas pela autoridade, "para se livrarem do embaraço de ter de pensar e da responsabilidade de dirigir sua atividade pela reflexão".

Na visão de Dewey, o ideal genuíno da educação é favorecer a expansão das aptidões dos educandos e, ao mesmo tempo, orientá-los para fins sociais. Não sendo assim, só pode haver incoerência na aplicação de um critério democrático da educação.

A constituição de uma sociedade democrática depende, portanto, da competência que todos possam ter, se instruídos para isso, para participarem continuamente dos processos deliberativos, tendo por fim alcançar a democracia. Para isso, todo homem precisa aprender a pensar, isto é, precisa examinar até que ponto uma coisa pode ser tomada como garantia para acreditar em outra. O desafio, portanto, é fazer do mundo algo mais razoável, cujas provocações sejam constantemente renovadas, pois aprender é aprender a pensar.

## OS PRESSUPOSTOS DA TEORIA DA INVESTIGAÇÃO

No livro Lógica: A Teoria da Investigação, publicado em 1938, Dewey, assim como fez em Como Pensamos, também se manifesta sobre a possibilidade de aprendermos a pensar ou formularmos juízos, tendo em vista a necessidade de um método, o científico. Certamente é o contexto, com suas implicações na vida dos homens, o que faz Dewey dizer que precisamos ter um método que nos habilite a vivermos de tal modo que nossos pensamentos e ações estejam a serviço de uma vida melhor, tal como é defendido em Democracia e Educação.

O Lógica... foi uma das últimas obras produzidas por ele, coroando suas reflexões sobre a natureza da teoria lógica, que foram sumariadas, com especial referência à educação, em Como Pensamos. Naquele livro, a tese de Dewey consiste na defesa de que o intuito da investigação não é outro senão transformar situações indeterminadas em situações determinadas, isto é, aclarar os sentidos de algo obscuro. É aqui que Dewey elabora uma concepção pragmática da lógica, opondo-se à lógica aristotélica, cuja forma geral é frequentemente exemplificada com o seguinte raciocínio:

Todos os homens são mortais (Premissa maior)/ Sócrates é homem (Premissa menor)/ Logo, Sócrates é mortal (Conclusão).

Segundo Dewey, no silogismo acima as premissas são apreendidas imediatamente, pois já estão dadas na natureza, e a razão não depende de qualquer coisa fora dela mesma, porque em Aristóteles há a crença na natureza estável da realidade, o que fundamenta a possibilidade de apreender o real tal como ele é. Esse aspecto da lógica aristotélica articulou-se como reflexo do modo como a sociedade grega, em geral, concebia a realidade, considerando que o transitório não era passível de ser conhecido. Nessa lógica, não há lugar para a descoberta e invenção, muito menos para a dúvida.

Opondo-se a essa concepção, Dewey acreditava que na natureza não existem inícios ou fins absolutos; há estágios "estritamente relativos à direção objetiva que a investigação impõe à qualidade problemática de uma dada situação", o que nos permite descartar a noção de substâncias fixas, para entendermos que a proposição de Sócrates é mortal, não possui só dois termos, pois, para chegarmos até ela, precisamos considerar as circunstâncias que a originaram, como, por exemplo, o tempo e o lugar.

Embora Dewey reconheça o valor da lógica tradicional, busca ir além, problematizando-a e situando-a como uma teoria da investigação, no âmbito de suas reflexões filosóficas, educacionais e sociais. A teoria da investigação deweyana não é uma teoria de relações dedutivas entre enunciados, mas sim uma teoria que nos revela fatos sobre a interação dos seres humanos com seu ambiente, pois as premissas ou proposições são retiradas de um existente sempre questionável. Essa é a grande diferença entre a teoria lógica de Dewey e a lógica aristotélica.

Muitos estudiosos, dentre eles Jim Garrison, afirmam que Dewey realizou uma revolução copernicana, ao transferir as funções normalmente associadas à metafísica para a investigação. Para Dewey, a essência é produto da investigação e não uma existência que a antecede.

Tendo por base aclarar os sentidos para o pensamento, não há investigação lógica e conclusões baseadas em uma instância metafísica, como em Aristóteles, ou seja, que não estejam abertas à inspeção e verificação públicas. Uma das características da teoria da investigação deweyana é que ela é naturalista, isto é, fundamentada na concepção de tipo darwinista, segundo a qual há uma continuidade natural entre as ciências da natureza e as ciências sociais. Neste sentido, Dewey aceita a doutrina aristotélica segundo a qual o homem é um animal social, mas isso não implica aceitar que os eventos sobre a sociedade humana sejam apartados da natureza em geral.

A oposição a qualquer noção a priori a fundamentar a investigação é amparada, também, no estabelecimento de que a lógica é empírica, o que significa que seu objeto é composto de investigações. As características de seu objeto e de suas conclusões são as mesmas da ciência da natureza. Disso resulta que qualquer investigação tem sempre um caráter provisório, incluindo a investigação partindo de processos considerados mentais, tais como a dúvida, a sugestão, a observação, a conjectura. Em suma, não existe fosso entre investigação e lógica.

Influenciado por Charles Sanders Peirce, Dewey acreditava que as conclusões, em qualquer etapa da investigação, podem ser mais ou menos errôneas. É o método que deve corrigir os erros, de modo que as conclusões produzidas são determinadas cumulativamente; além disso, a validade das proposições existenciais, ou seja, aquelas produzidas a partir da observação, é uma questão de probabilidade que, na teoria da investigação, não pode ser interpretada com base na ignorância ou em qualquer fator subjetivo, pois é a manifestação da verdadeira natureza do material existencial. Discutir a probabilidade significa indicar o caráter provável das proposições.

Logo, é possível percebermos que a teoria da investigação deweyana não considera a lógica independentemente da realidade, tampouco como uma estrutura formal da linguagem como um sistema de símbolos. Dewey entende que tudo o que a teoria lógica pode oferecer são hipóteses.

Todavia, a maneira corrente de raciocinarmos é a seguinte: a proposição "Todos os homens são mortais" afirma a conexão entre um conjunto de traços que descreve a espécie humana, de um lado, e o gênero "mortal", de outro. O que se afirma, corretamente, é que as características "ser humano" e "ser mortal" são, necessariamente, relacionadas entre si. Mas se procurarmos entender aquela proposição a partir da teoria da investigação, verificaremos que ela é precária, pois fica exposta a ser invalidada, e só será salva por investigações biológicas e fisiológicas que demonstrem a relação necessária entre os caracteres que definem "vivente" e "mortal" como estruturas conceituais.

A rejeição de Dewey a uma investigação lógica baseada na intuição culmina com a ideia de que a investigação diz respeito à dúvida. Então, se a investigação começa com a dúvida, termina na instituição das condições que removem sua necessidade, o que Dewey denomina asserção justificada, ou juízo último. Essa noção envolve uma referência à investigação, que permite a elaboração do pensamento reflexivo, e pode ser considerada uma exposição racional, que relaciona meios e consequências e não premissas definitivas, como a lógica aristotélica pretende.

Para Dewey, o objeto da investigação deve ser estabelecido em situações existenciais, e as proposições são as condições que a investigação deve cumprir como investigação, o que se faz, primeiro, por intermédio da observação experimental e, segundo, por meio de operações em que se utilizam símbolos. Assim, as proposições são postulados, condições descobertas no curso da investigação, que fundamentam investigações posteriores, para daí se obterem asserções justificadas. Um exemplo disso são os postulados da geometria.

## A ESTRUTURA DA INVESTIGAÇÃO E SEUS PASSOS

Como vimos, o objetivo fundamental da investigação é tornar determinadas as situações que antes eram indeterminadas. Logo, o desenvolvimento de uma teoria geral do juízo, ou da investigação, tem como objetivo escapar da condição desagradável provocada pelas situações confusas, as quais requerem clarificação.

Dewey resgata essa noção também de Peirce, que, no ensaio "Como Tornar Nossas Ideias Claras", afirma que a primeira lição que temos de exigir da lógica é a de nos ensinar como tornar nossas ideias claras; portanto, é preciso "Saber o que pensamos, para sermos senhores do que queremos dizer". Isso significa perceber que uma situação indeterminada geralmente evoca modos contrários de resposta, o que provoca o conflito entre as atitudes habituais com que os problemas são abordados. Esse conflito pode se tornar agudo, tendo por consequência imediata, segundo Dewey, a redução a um sentido único, mais do que a clarificação.

Assim, por não possuir fins em si mesmas, na investigação, as proposições são meios que servem para qualificar uma situação indeterminada (obscura). Disso resulta que, na investigação, a determinação do caráter das proposições se dá por meio da sua função e das negociações estabelecidas por elas, quando negam ou afirmam algo. Portanto, todas as proposições têm um aspecto interrogativo, sendo, por isso, sempre provisórias. O caráter funcional dessas operações faz com que a investigação seja contínua, progressiva e cumulativa, uma vez que a solução de um problema conduz a novas situações indeterminadas e a novas investigações.

É possível percebermos que as raízes do pensamento deweyano estão fincadas no terreno do existencial, do observável, do experimental. Nenhum raciocínio oposto a esses campos permite, na investigação, a construção de asserções justificadas. Ao mostrar que, na investigação, as correlações entre os elementos são caracterizadas pela função que eles exercem, rejeita todo processo metafísico, mecânico e arbitrário.

O importante na teoria lógica de Dewey é atentarmos para o fato de, na constituição dos acontecimentos ou objetos, suas características não serem tomadas de modo isolado, isto é, fora de determinado contexto, fora do curso das histórias humanas.

Na investigação, o juízo último é obtido através de juízos parciais, estimativas ou avaliações; seu caráter não é instantâneo. Por exemplo, quando estamos envolvidos em um trabalho complexo, traçamos sobre um papel um plano para a divisão das funções; mas esse plano não constitui a real divisão do trabalho; é apenas um meio indispensável para a execução real, assim como um projeto de uma casa não é a casa.

Segundo Dewey, para que, na investigação, um juízo seja atingido, ou como encontramos no Como Pensamos, para que um pensamento seja considerado reflexivo, alguns passos devem ser considerados.

Em primeiro lugar, é preciso verificar, por meio de interrogações, a situação indeterminada que antecede a investigação. Em segundo lugar, é preciso fazer o delineamento das causas existenciais de um problema. Constatada a existência de uma situação problemática, a situação requer investigação.

O terceiro passo é a determinação da solução do problema. Para traçá-lo, é preciso determiná-lo na observação, pois ele se encontra fixado na existência e manifesta-se como uma ideia. Para que essa ideia seja funcional, deve ser capaz de estabelecer, a partir da observação, fatos não observados, organizando-os de maneira coerente com os outros fatos. Não é possível haver uma ideia sem algum tipo de símbolo, e são os símbolos que nos fazem ver as ideias; só assim as ideias podem ser submetidas a uma observação objetiva e, por conseguinte, desenvolvidas.

O quarto passo está ligado ao discurso racional, que opera com símbolos. Contudo, não devemos aceitar de imediato um sentido sugerido pelos símbolos, pois tal sentido implica outros tantos, os quais nos remetem a outras relações de sentido, e assim podemos alcançar um sentido mais significativo para o problema em questão.

O quinto passo diz respeito ao caráter operativo das ideias e dos fatos. Os fatos observados e os conteúdos ideacionais expressos pelas ideias encontram-se relacionados entre si, oferecendo uma clarificação do problema implicado e a proposta de uma possível solução; tais fatos e conteúdos são divisões funcionais no trabalho da investigação, cooperando na resolução de uma situação que é existencial.

## A INVESTIGAÇÃO VIA SENSO COMUM E A INVESTIGAÇÃO CIENTÍFICA

Todo esse processo investigativo não precisa ser diferente quando as situações indeterminadas estão presentes no senso comum porque, para a teoria da investigação, senso comum e conhecimento científico são relacionados e suas lógicas não diferem. A diferença entre eles reside nos problemas que lhes são inerentes.

Segundo Dewey, a oposição entre senso comum e conhecimento científico expressa um caráter arbitrário que nos impede de perceber que os procedimentos empregados por um engenheiro ou um médico competentes para resolver casos singulares não diferem logicamente daqueles que são utilizados por homens que estabelecem generalizações. Assim, a teoria da investigação deweyana, por nos permitir integrar teoria e prática, também nos permite integrar, tal como Luiz Henrique Dutra aponta, as disciplinas teóricas em uma ciência unificada, mostrando, por exemplo, como a história e outras disciplinas das ciências humanas possuem um caráter científico.

Em oposição a uma concepção que desqualifica a teoria em favor da prática, Dewey começa com o senso comum, no qual as nossas ações são respostas ao mundo, não porque ele prefira atividades pré-reflexivas, mas porque são pressuposições reais e necessárias para a investigação. Assim, não há uma diferença de natureza entre o senso comum e o conhecimento científico, mas apenas diferença de rigor.

Neste sentido, uma das características da filosofia de Dewey é a rejeição às dicotomias, razão pela qual, conforme as investigações de Marcus Vinicius da Cunha [ver artigos neste fascículo], Dewey, ao integrar elementos que são usualmente considerados opostos – por exemplo, o ser e o dever ser –, promove a submissão de todos eles, inclusive a ciência e a filosofia, a uma instância superior: a experiência, conceito-chave da filosofia deweyana, por oposição às demais correntes filosóficas determinadas a definir Verdade. Essa é a razão pela qual Dewey não separa as ideias e os eventos do mundo, que têm um nível de significação produzido pela investigação.

Na teoria da investigação as situações problemáticas, que são plurais, devem ser resolvidas, o que significa transformar em inteligível algo que era ininteligível, significa chegar a um acordo; é, portanto, um modo de proceder. Por outro lado, uma lógica desvinculada das operações próprias do processo de investigação, tão combatida por Dewey, abre espaço para o obscurantismo, promove a aceitação de crenças antes da investigação.

Na teoria da investigação, todo estabelecimento de asserções contém um fator prático; uma atividade de fazer e refazer, o que provoca algum tipo de mudança. Por exemplo, as deliberações que realizamos ao longo das nossas vidas dizem respeito, em grande parte, ao que convém ser feito. Todo ofício depara-se com problemas dessa natureza. As situações indeterminadas requerem que se faça algo a partir da investigação. Logo, não é possível investigar fazendo o isolamento entre o objeto e o contexto da investigação.

Para ilustrar isso, tomemos a situação proposta por Dewey: alguém que se encontra enfermo delibera sobre o que deve fazer para se curar. Na teoria lógica tradicional as proposições "estou doente" e "quando alguém está doente deve procurar um médico" representam, respectivamente, premissas menor e maior de um silogismo, cuja conclusão necessária é "devo procurar um médico". Na teoria da investigação deweyana, a compreensão é diferente, porque as premissas maior e menor expressam decisões conquistadas na investigação acerca de uma situação, a qual acaba por modificá-las, levando-as em outra direção; assim, a investigação parte de uma situação indeterminada para chegar a uma situação determinada.

O ponto de vista adotado por Dewey é contrário à existência de um conhecimento imediato que constituiria a condição para um conhecimento mediato. Essa é a razão que permite considerar a investigação um processo contínuo, em que as conclusões dão início a investigações posteriores, sendo toda conclusão submetida a novos exames. Essa atitude perante a investigação caracteriza o que Dewey denomina de "pensamento reflexivo", cuja instauração se dá por meio da ação educativa.

## PENSAR PARA MUDAR

Como vimos, a educação proposta por Dewey é fundamentada no espírito científico. Como poucos, Dewey viveu muito e teve a chance de acompanhar eventos históricos e suas devastadoras consequências para o indivíduo e para a vida coletiva. Mobilizado pela fé no ideal democrático, acreditou que era por meio da investigação, dirigida às necessidades humanas, que o homem poderia desenvolver todas as suas potencialidades. Sua teoria da investigação se revela como alternativa decisiva, na medida em que contempla o propósito da deliberação, a possibilidade de troca e discernimento na organização do conhecimento, evitando promover o jugo da escravidão, da desigualdade.

A dúvida, a interpretação dos elementos que compõem a situação; o exame de todas as considerações possíveis; a elaboração e o teste das hipóteses; enfim, toda a teorização deweyana tem um objetivo bastante claro: despertar-nos para um problema e nos levar a provocar mudanças no mundo, por intermédio da investigação. Dewey elegeu a escola como lugar para desenvolver nos educandos a capacidade de pensar. Contudo, a mudança não acontecerá sem que nos indignemos com o estado de coisas indesejável em que vivemos. Mas isso não é o bastante. Dewey sabia disso e nos ensinou que o futuro é uma construção que começa hoje, na concretude de nossas ações.

# *Excertos*

# PENSAMENTO, EDUCAÇÃO E EXPERIÊNCIA

por Marcos Antônio Lorieri

## As condições que estimulam e mantêm vital e enérgica a capacidade de maravilhar-se foram expulsas da escola, pois esta se limita a formar hábitos mecânicos e instilar a uniformidade de conduta

Dewey publicou muitas obras e artigos nas áreas da psicologia, sociologia e pedagogia. Entre 1898 e 1940 publicou 38 obras, quase um livro por ano. A maior parte trata da educação e teve enorme influência no pensamento pedagógico do seu país e em outros, como o Brasil. Aqui sua influência teve início na década de 1920 e se estendeu fortemente até o final da década de 1970, especialmente no denominado movimento da Escola Nova. Suas ideias continuam presentes no discurso educacional brasileiro, como as relativas ao pensamento reflexivo e ao professor reflexivo, à educação para o pensar, à necessidade de relação entre as vivências dos alunos e os conteúdos estudados nas escolas e outras. Pode-se perceber isso nos excertos que se seguem.

### EXPERIÊNCIA E EDUCAÇÃO (1971)

"O homem gosta de pensar em termos de oposições extremadas, de polos opostos. Costuma formular suas crenças em termos de 'um ou outro', 'isto ou aquilo', entre os quais não reconhece possibilidades intermediárias. [...] A filosofia de educação não faz exceção a essa regra. A história da teoria de educação está marcada pela oposição entre a ideia de que educação é desenvolvimento de dentro para fora e a de que é formação de fora para dentro; a de que se baseia nos dotes naturais e a de que é um processo de vencer as inclinações naturais e substituí-las por hábitos adquiridos sob pressão externa. No presente, a oposição, no que diz respeito aos aspectos práticos da escola, tende a tomar a forma do contraste entre a educação tradicional e a educação progressiva.

Se buscarmos formular, de modo geral, sem as qualificações necessárias para perfeita exatidão, as ideias fundamentais da primeira, poderemos assim resumi-las. A matéria ou conteúdo da educação consiste de corpos de informação e de habilidades que se elaboraram no passado; a principal tarefa da escola é, portanto, transmiti-los à nova geração. No passado, também padrões e regras de conduta se estabeleceram; logo, educação moral consiste em adquirir hábitos de ação em conformidade com tais regras e padrões. Finalmente o plano geral de organização da escola (por isto quero significar as relações dos alunos uns com os outros e com os professores) faz da escola uma instituição radicalmente diferente das outras instituições sociais. Imaginemos a sala de aula comum, seus horários, esquemas de classificação, de exames e promoção, de regras de ordem e disciplina e, creio, logo veremos o que desejo exprimir com o 'plano de organização'. [...] O principal propósito ou objetivo é preparar o jovem para as suas futuras responsabilidades e para o sucesso na vida, por meio da aquisição de corpos organizados de informação e de formas existentes de habilitação, que constituem o material de instrução. Desde que as matérias de estudo, tanto quanto os padrões de conduta apropriada nos vêm do passado, a atitude dos alunos, de modo geral, deve ser de docilidade, receptividade e obediência. Livros, especialmente manuais escolares, são os principais representantes do conhecimento e sabedoria do passado e os professores são os órgãos, por meio dos quais, os alunos entram em relação com esse material. Os mestres são os agentes de comunicação do conhecimento e das habilitações e de imposição das normas de conduta.

[...] O esquema tradicional é, em essência, esquema de imposição de cima para baixo e de fora para dentro. Impõe padrões, matérias de estudo e métodos de adultos sobre os que estão ainda crescendo lentamente para a maturidade. A distância entre o que se impõe e os que sofrem a imposição é tão grande que as matérias exigidas, os métodos de aprender e de comportamento são algo de estranho para a capacidade do jovem em sua idade.

[...] Aprender significa adquirir o que já está incorporado aos livros e à mente dos mais velhos. Considera-se ainda o que se ensina como essencialmente estático. Ensina-se um produto acabado, sem maior atenção quanto aos modos e meios por que originariamente assim se fez, nem também quanto às mudanças que seguramente irá sofrer no futuro.

[...] Se buscarmos formular a filosofia de educação implícita nas práticas da educação mais nova, podemos, creio, descobrir certos princípios comuns por entre a variedade de escolas progressivas ora existentes. À imposição de cima para baixo opõe-se expressão e cultivo da individualidade; à disciplina externa, a atividade livre; a aprender por livros e professores, aprender por experiência; à aquisição por exercício e treino de habilidades e técnicas isoladas, a sua aquisição como meios para atingir fins que respondem a apelos diretos e vitais do aluno; à preparação para um futuro mais ou menos remoto opõe-se aproveitar-se ao máximo das oportunidades do presente; a fins e conhecimentos estáticos opõe-se a tomada de contacto com um mundo em mudança.

[...] Considero que a ideia fundamental da filosofia da educação mais nova e que lhe dá unicidade é a de haver relação íntima e necessária entre os processos de nossa experiência real e a educação. Se isto é verdade, então o desenvolvimento positivo e construtivo de sua própria ideia básica depende de se ter uma ideia correta de experiência. Tome-se, por exemplo, a questão da organização da matéria de estudo - que iremos discutir em detalhe mais adiante. O problema para a educação progressiva é o de se saber qual é o lugar e a significação de 'matéria' e de. 'organização' dentro da experiência. Como funciona a 'matéria'? Existe algo inerente à experiência que tende para a organização progressiva do seu conteúdo? Que sucede quando a matéria da experiência não é progressivamente organizada?

[...] Como a educação tradicional se baseava numa organização já feita e acabada, suporá (a educação nova) que será suficiente rejeitar o princípio de organização in toto, em vez de lutar por descobrir qual o sentido de organização e como se poderá consegui-la na base de experiência. [...] Quando se rejeita o controle externo, o problema é como achar os fatores de controle inerentes ao processo de experiência. Quando se refuga a autoridade externa, não se segue que toda autoridade deva ser rejeitada, mas antes que se deve buscar fonte mais efetiva de autoridade. Porque a educação velha impunha ao jovem o saber, os métodos e as regras de conduta da pessoa madura, não se segue, a não ser na base da filosofia dos extremos de 'isto-ou-aquilo', que o saber da pessoa madura não tenha valor de direção para a experiência do imaturo.

[...] O que desejamos sublinhar com estas observações é que os princípios gerais da nova educação, por si mesmos, não resolvem nenhum dos problemas práticos e concretos de condução e direção das escolas progressivas. Pelo contrário, levantam novos problemas, que terão de ser resolvidos na base de uma nova filosofia de experiência. Os problemas não são sequer reconhecidos (que dizer de resolvidos?) quando se supõe que basta rejeitar as ideias e as práticas da educação velha e partir para a posição no outro extremo. Estou certo de que se reconhece o que desejo exprimir quando digo que muitas das escolas novas tendem: a dar pouca ou mesmo nenhuma importância à organização da matéria de estudo; a proceder como se qualquer forma de direção e orientação pelo adulto constituísse invasão à área da liberdade individual; a considerar que a ideia de que a educação deve interessar-se pelo presente e futuro significasse que o conhecimento do passado tenha pouco ou nenhum papel na educação. Sem desejar exagerar tais tendências, servem elas, pelo menos, para ilustrar o ponto que vimos acentuando de poder a nova teoria e prática de educação buscar afirmar-se de forma negativa, ou seja, reagindo contra o que é corrente em educação, em vez de esforçar-se de modo positivo e construtivo em desenvolver os propósitos, métodos e matéria de estudo na base de uma teoria de experiência e de suas potencialidades educativas.

Não será demais lembrar que uma filosofia de educação que professe basear-se na ideia de liberdade pode tornar-se dogmática como nunca tenha chegado a ser a educação tradicional, contra a qual, entretanto, está a reagir. Toda teoria, como qualquer regra de prática, faz-se dogmática se não se baseia, sempre, no exame crítico de seus próprios princípios fundamentais. Digamos que a educação nova deve dar ênfase à liberdade do aluno. Muito bem. Temos então um problema: que significa liberdade e quais as condições pelas quais poderá a escola ser capaz de efetivá-la? Digamos que o hábito de imposição externa, tão comum na escola tradicional, mais impedia do que promovia o desenvolvimento moral e intelectual do jovem. Novamente, está certo. Mas o reconhecimento desta falha da escola levanta um problema. Qual será exatamente o papel do professor e dos livros no desenvolvimento educativo do imaturo?" ("Educação Tradicional versus Educação 'Nova' ou 'Progressiva'". In: Dewey, J. Experiência e Educação. Trad. Anísio Teixeira. São Paulo: Editora Nacional, 1971, pp. 3-11)

## DEMOCRACIA E EDUCAÇÃO: INTRODUÇÃO À FILOSOFIA DA EDUCAÇÃO (1959)

***"A Educação como Reconstrução"***

Em seu contraste com as ideias do desdobramento do interior para o exterior de faculdades latentes, e da formação do exterior para o interior, a ideia do desenvolvimento dá em resultado a concepção de que a educação é um constante reorganizar ou reconstruir de nossa experiência. Ela tem sempre um fim imediato, e, na proporção em que a atividade for educativa, ela atingirá esse fim – que é a transformação direta da qualidade da experiência.

[...] Chegamos assim a uma definição técnica da educação: é uma reconstrução ou reorganização da experiência, que esclarece e aumenta o sentido desta e também a nossa aptidão para dirigirmos o curso das experiências subsequentes.

1. O aumento ou enriquecimento do sentido ou significação da experiência corresponde à mais aguda percepção das conexões e das continuidades existentes no que estivermos empreendendo. A atividade começa de uma forma impulsiva, por assim dizer,

cega. Não conhece o que existe ao seu redor, isto é, quais são suas relações com outras atividades. Uma atividade que acarreta educação ou instrução faz a pessoa conhecer algumas das relações ou conexões que não eram antes percebidas. Recorrendo ao nosso singelo exemplo – uma criança queima-se ao pôr a mão numa chama. De então por diante ela sabe que certo ato táctil em conexão com certo ato visual (e vice-versa) significa calor e dor; ou que certa luz significa fonte de calor. Os atos por meio dos quais um cientista aprende mais coisas em seu laboratório a respeito da chama não diferem desse, em princípio, absolutamente nada. Fazendo certas coisas ele torna perceptíveis certas relações, dantes ignoradas, da chama como outras coisas. Por esta forma, seus atos em relação a essas coisas adquirem mais significação; ele sabe melhor o que está a fazer, quando sua atividade se aplica a tais coisas; pode provocar intencionalmente consequências em vez de limitar-se a esperá-las surgir – o que tudo quer dizer a mesma coisa: passou a saber, a conhecer, a entender melhor certas coisas. Ao mesmo tempo a combustão, a oxidação, a luz e a temperatura podem tornar-se parte intrínseca de seu conteúdo intelectual.

2. O outro aspecto de uma experiência educativa é o aumento da capacidade de direção ou regulação das experiências subsequentes. Dizer que alguém sabe o que vai fazer ou que pode provocar certas consequências e, naturalmente, dizer que pode prever melhor o que vai acontecer; que pode, por isso, preparar-se com antecipação para assegurar consequências benéficas e evitar as indesejáveis. Portanto, uma experiência genuinamente educativa, que proporciona conhecimentos e aumenta as aptidões, diferencia-se, de um lado, de uma atividade rotineira; e, do outro, de uma atividade caprichosa. a) Na última, a pessoa 'não se preocupa com o que possa acontecer'; 'deixa-se levar', evitando relacionar as consequências de algum ato (as provas de suas conexões com outras coisas) com o ato referido. Habitualmente vê-se com aborrecimento alguém entregar-se a tais atos sem objetivo, que são considerados como prova de índole caprichosa, ou de descuido ou indisciplina prejudiciais. Daí, a tendência de procurar a causa dessa atividade sem escopo nos estados de espírito próprios do adolescente, isolados de tudo o mais. O fato, porém, é ser essa atividade impulsiva devida a um mau ajustamento com

o ambiente. Os indivíduos procedem caprichosamente toda vez que são levados pela compulsão externa ou quando, obrigados ou acostumados a obedecer, agem de acordo com o que os mandam fazer, sem ter um fito próprio nem perceber o alcance, daquilo que estão fazendo, sobre outros atos. Alguém pode aprender fazendo coisas que não compreende; até nas atividades mais inteligentes fazemos muita coisa sem atenção consciente, porque a maioria das conexões do ato que conscientemente intentávamos praticar não foram percebidas ou previstas. Mas, se aprendemos, é só porque, depois do ato praticado, observamos resultados que antes não observáramos. Mas grande parte do trabalho nas escolas consiste em estabelecer regras para os alunos de tal forma que, mesmo depois de praticado o ato, não podem eles ver ou não são levados a ver a conexão entre o resultado – isto é, a resposta à questão do professor – e o método seguido. Do modo como se lhes apresentam as coisas, estas tomam para eles o aspecto de uma espécie de mágica ou de milagre. Tal procedimento é essencialmente caprichoso e conduz a hábitos caprichosos. b) A rotina, a ação, isto é, a ação automática, pode aumentar a habilidade para fazer dada coisa particular. Por esse lado, pode-se dizer que tem efeito educativo. Ela, porém, não conduz a novas percepções de significações ou conexões; limita mais do que amplia o horizonte das significações. E desde que o ambiente pode mudar ou, melhor, está sempre a mudar, e nosso modo de proceder precisa modificar-se de forma a manter-se em conexão bem equilibrada com as coisas, um modo de proceder isolado e uniforme como o consequente dessa aprendizagem de prática e rotina pode tornar-se desastroso em algum momento crítico. A decantada 'habilitação' do aluno converte-se então em grosseira inépcia". ("A Educação como Reconstrução". In: Dewey, J. Democracia e Educação: Introdução à Filosofia da Educação. Trad. Godofredo Rangel e Anísio Teixeira. 3ª ed. São Paulo: Companhia Editora Nacional, 1959, pp. 82-85)

***"A Reflexão na Experiência"***

"O pensamento ou a reflexão, conforme virtualmente (se não expressamente) já vimos, é o discernimento da relação entre aquilo que tentamos fazer e o que sucede em consequência. Sem algum elemento intelectual não é possível nenhuma experiência significativa. Mas podemos diferençar duas espécies de experiências conforme a proporção de reflexão que elas contenham.

Todas as nossas experiências passam pela fase do 'cortar para experimentar', que os psicólogos denominam o método de 'experiência e erro'. Limitamo-nos a fazer alguma coisa, e, se esta se malogra, fazemos alguma outra coisa diversa e continuamos a tentar até atingir algo operante, e, então, passamos a adotar essa 'solução' em nossa conduta posterior. [...] Vemos que se associam certo modo de proceder e certa consequência, mas ignoramos como se associam. [...] Em outros casos, porém, levamos mais longe a observação. Analisamos para ver com justeza o que existe entre as duas coisas, de modo a ligar a causa ao efeito, a atividade e a consequência. Esta extensão de nossa compreensão das coisas torna a previsão mais completa e compreensiva. A ação que repousa unicamente no método de tentativas e erros fica à mercê das circunstâncias; podem estas mudar, de forma que o ato praticado não atue do modo que é esperado. Mas se soubermos minudenciosamente do que depende o resultado, poderemos verificar se existem as circunstâncias requeridas. Este método amplia nosso domínio sobre as coisas; pois, se faltar alguma das condições, poderemos, desde que saibamos quais são os necessários antecedentes de um efeito, tratar de suprir-lhe a falta; semelhantemente, se as condições forem tais que produzam indesejáveis efeitos, poderemos eliminar algumas das causas supérfluas e com isso poupar esforços.

Na descoberta minuciosa das relações entre os nossos atos e o que acontece em consequência deles, surge o elemento intelectual que não se manifestara nas experiências de tentativa e erro. À medida que se manifesta, esse elemento aumenta proporcionalmente o valor da experiência. Com isto muda-se a qualidade desta; e a mudança é tão significativa que poderemos chamar reflexiva esta espécie de experiência – isto é, reflexiva por excelência. O cultivo deliberado deste elemento intelectual torna o ato de pensar uma experiência característica. Por outras palavras, pensar é o esforço intencional para descobrir as relações específicas entre uma coisa que fazemos e a consequência que resulta, de modo a haver continuidade entre ambas. Desaparece seu isolamento, e, por conseguinte, sua justaposição puramente arbitrária: e toma seu lugar uma situação unificada a desenvolver-se. Compreende-se agora a ocorrência; esta ficou explicada; e achamos razoável, como costumamos dizer, que as coisas aconteçam de tal modo.

Pensar equivale, assim, a patentear, a tornar explícito o elemento inteligível de nossa experiência. Tornar possível o proceder-se tendo um fim em vista. É a condição para podermos ter objetivos. Logo que um infante, para dar um exemplo, começa a esperar, começa a considerar alguma coisa atual como sinal de alguma coisa que se vai seguir, está, embora de modo muito simples, a formar juízos. Pois, toma uma coisa como prova de uma outra, reconhecendo, assim, uma relação entre ambas. Qualquer futuro desenvolvimento, por mais apurado que seja, será apenas um prolongamento e um aperfeiçoamento daquela simples inferência. Tudo o que o homem mais sábio pode fazer é observar o que está ocorrendo com mais amplitude e minudência, e em seguida selecionar com mais cuidado, daquilo que notou, precisamente aqueles fatores que indicam alguma coisa a acontecer. Mais uma vez diremos que o oposto de uma ação reflexiva é a rotina e o procedimento caprichoso. A primeira admite aquilo que é de hábito suceder como medida completa das possibilidades e esquece de tomar em conta as relações das coisas determinadas que se estão fazendo. O último dá valor a um ato momentâneo, desprezando as associações de nossa atividade pessoal com as energias do ambiente. [...] O ponto de partida de todo processo de pensar, de todo pensamento, é alguma coisa em marcha, alguma coisa que, do modo em que está, é incompleta ou não realizada. Seu ponto principal, sua significação, reside literalmente naquilo que vai suceder e em como vai suceder" ("A Reflexão na Experiência". In: idem, pp. 158-160).

## COMO PENSAMOS (1979)

### *"A Melhor Maneira de Pensar"*

"Se a ninguém se pode dizer como deverá respirar ou fazer o sangue circular, também não se lhe pode dizer, de maneira exata, como deverá pensar. Podem, porém, ser indicadas e descritas em seus aspectos gerais as várias maneiras pelas quais os homens pensam. Algumas são melhores do que outras, e por motivos explicáveis. Quem compreenda quais são as melhores maneiras de pensar e por que são melhores, mudará, se quiser, as suas próprias maneiras até que se tornem mais eficientes, isto é, até que executem melhor o trabalho de que é mais capaz o pensamento do que qualquer outra operação mental. A melhor maneira de pensar, a ser considerada nesta obra, é chamada pensamento reflexivo: a espécie de pensamento que consiste em examinar mentalmente o assunto e dar-lhe consideração séria e consecutiva. (Como Pensamos. Como se Relaciona o Pensamento Reflexivo com o Processo Educativo: Uma Reexposição. Trad. Haydée C. Campos. 4a ed. São Paulo: Companhia Editora Nacional, 1979, p. 13)

***"Algumas Conclusões Educacionais"***

Disse o mais sábio dos gregos que o dom de maravilhar-se era o autor da ciência e da filosofia. Esse predicado não é idêntico à curiosidade; só o é quando esta atinge o plano intelectual. Seus piores inimigos são a monotonia externa e a rotina interna. Estimulam-no a surpresa, o inesperado, a novidade. Todos sabem que um objeto em movimento capta e prende o olhar mais prontamente do que um objeto imóvel; que as partes mais móveis do corpo têm maior capacidade de discriminação táctil que as mais fixas. Entretanto, em nome da disciplina e boa ordem, as condições escolares frequentemente se aproximam, tanto quanto possível, da monotonia e uniformidade. Mesas e cadeiras em posição fixa. Alunos arregimentados com precisão militar. O mesmo compêndio, manuseado por longo período, com exclusão de toda outra leitura. Da recitação, eliminam-se todos os tópicos que não figurem no texto; faz-se tanta questão do 'sistema' ao dirigir a recitação, que desaparecem a espontaneidade, a novidade, a variedade. No que respeita ao regime das melhores escolas existentes, poderão parecer exagerados esses comentários. Mas das escolas cuja principal finalidade é formar hábitos mecânicos e instilar a uniformidade de conduta, ficam necessariamente expulsas as condições que estimulam e mantêm vital e enérgica a capacidade de maravilhar-se" (idem, pp. 59-61).

# *Bibliografia comentada*

# EDUCAÇÃO E VIDA

por Marcos Antônio Lorieri

O pensamento educacional de Dewey está todo voltado para a identificação e a proposição de uma educação a serviço do que ele entende por uma sociedade democrática

Dewey produziu muito. Até o final do século XIX, já havia publicado algumas obras, mas é a partir daí, com a publicação de A Escola e a Sociedade (1899), que sua produção se tornará mais expressiva, com 38 livros escritos até 1940. Nem todas essas obras foram editadas no Brasil, como é o caso da Logic: The Theory of Inquiry (1938), cuja edição mais acessível ao leitor brasileiro é a italiana. Por outro lado, há publicações preciosas por aqui, como aquelas traduzidas e prefaciadas por Anísio Teixeira, um dos seus seguidores mais importantes. Graças em boa parte a ele, as ideias de Dewey se espalharam pelo Brasil influenciando sobretudo movimentos como o da Escola Nova. Ideias que ainda hoje são discutidas no país, por meio das obras de comentadores locais que dão seguimento às reflexões do educador e filósofo norte-americano.

## ALGUMAS OBRAS DE DEWEY

***Democracia e Educação: Introdução à Filosofia da Educação***
Um dos principais livros de Dewey sobre educação. Data de 1916 e foi traduzido no Brasil, por Anísio Teixeira, em 1959. Nos

26 capítulos Dewey apresenta suas ideias pedagógicas e filosóficas tendo em vista a educação para uma sociedade democrática tal como ele a entendia. Ele próprio faz um resumo da obra no capítulo 24. Segundo ele, até este capítulo ela está dividida em três partes. A quarta parte engloba do capítulo 24 ao 26. Na primeira parte (capítulos 1 a 6) aponta a educação como necessidade e função da vida social sem analisar alguma sociedade em particular. Mostra, em seguida, na segunda parte, o que entende por uma sociedade democrática e qual é o papel da educação nela. É nessa parte (capítulos 7 a 18) que, partindo da ideia de uma sociedade democrática, especifica o papel da educação, que é o de, fundamentalmente, auxiliar as pessoas no aprendizado de uma contínua reconstrução ou reorganização da experiência, o que lhes propiciará o aprendizado de condutas inteligentes. O capítulo 7 é especialmente significativo para a compreensão do entendimento da "concepção democrática da educação" para Dewey. Declara, aí, que concorda com a ideia de que um papel fundamental da educação é a socialização ou a inserção dos novos em alguma sociedade. Mas alerta para a necessidade de se avaliar os objetivos dos vários tipos de sociedade, ou seja, avaliar as suas aspirações e ideais. Pondera que esta avaliação não pode ser feita de maneira idealista partindo-se de presunções apenas pensadas de ideais sociais considerados bons, pois é necessário analisar objetivamente os tipos de sociedades historicamente constituídas para, a partir dessa análise, identificar o tipo de sociedade que realmente se empenhe em formar o ser humano e não apenas membros aptos a desempenhos instrumentais. Faz uma análise desses vários tipos de sociedade e constata que a boa sociedade é a que ele denomina de democrática e para a qual deve existir um tipo de educação. Todo o seu pensamento educacional está voltado para a identificação e a proposição de uma educação a serviço do que ele entende por uma sociedade democrática.

Na página 93, Dewey faz uma síntese do entendimento de uma sociedade democrática e do papel que ele atribui à educação na constituição desse tipo de sociedade. Assim diz ele aí: "Uma explicação superficial (para a relação entre educação e sociedade democrática) é que um governo que se funda no sufrágio popular não pode ser eficiente se aqueles que o elegem e lhe obedecem não forem convenientemente educados". A seguir ele acrescenta:

"Uma democracia é mais do que uma forma de governo; é, primacialmente, uma forma de vida associada, de experiência conjunta e mutuamente comunicada".

Na terceira parte (capítulos 19 a 23) indica dificuldades para uma educação tal como a pensa, em especial as divisões existentes na sociedade, inclusive as divisões em classes sociais e também as concepções dualistas contra as quais se posiciona. Na última parte (capítulos 24 a 26), conforme diz o próprio Dewey no Capítulo 24, ele empreende um exame sucinto das teorias do conhecimento e das teorias da moral presentes nos ideais educacionais.

***Democracia e Educação: Capítulos Essenciais***

Livro organizado por Marcus Vinicius da Cunha contendo seis importantes capítulos da obra original de Dewey, Democracia e Educação, considerados pelo organizador como capítulos essenciais. Na Introdução, ele faz uma apresentação de Dewey, bem como de todo o livro e ainda comentários sobre suas partes e capítulos. Apresenta, também, explicações sobre os seis capítulos que selecionou para esta publicação. Trata-se de oportunidade rara de acesso a boa parte desta obra básica do pensamento deweyano que muito influenciou o pensamento pedagógico brasileiro visto que a edição completa é esgotada, podendo ser encontrada apenas em boas bibliotecas e sebos.

***Como Pensamos: Como se Relaciona o Pensamento Reflexivo com o Processo Educativo: Uma Reexposição***

Esta obra tem como tema principal a análise do que Dewey denomina de pensamento reflexivo que, para ele, é o mesmo que o pensamento investigativo que deve proceder pelos parâmetros da produção do conhecimento científico, ou seja, de maneira metódica e criticamente verificada. Esta maneira de pensar opõe-se ao pensamento irrefletido e descuidado que leva a posições precipitadas, dogmáticas e acríticas. Várias das posições relativas às propostas de educação para pensar bem (vide Matthew Lipman) e relativas à formação do professor reflexivo (vide Schön) partem das ideias apresentadas por Dewey neste livro. Dividido em três partes, na primeira Dewey defende a necessidade de se ensinar a pensar, visto que, se todos pensam, nem sempre as pessoas pensam bem. Define o que é pensar, o que entende por pensamento reflexivo, os recursos para o treino do bem pensar e os recursos da escola para este ensino do pensar bem. Na segunda parte, em mais de cem páginas, apresenta entendimentos e aprofundamentos sobre o processo do pensar para, na terceira parte, apontar caminhos para o que denomina de "treino do pensamento", onde discute vários aspectos e problemas do trabalho nas escolas especialmente ligados ao desenvolvimento do pensamento reflexivo ou investigativo.

### *Vida e Educação*

Contém dois ensaios de Dewey: "A Criança e o Programa Escolar" e "Interesse e Esforço", além de um excelente estudo preliminar sobre a pedagogia de Dewey, escrito por Anísio Teixeira, que é um dos principais seguidores brasileiros das ideias educacionais desse pensador. O livro traz também um prefácio escrito por Lourenço Filho no qual, além de apontar a importância dos dois ensaios pedagógicos de Dewey, constantes do livro, faz uma interessante análise do pensamento educacional deweyano apontando o que denomina de seus três pontos basilares: que não deve haver nenhuma separação entre vida e educação; que os fins da educação são mais e melhor educação, visto que educação para Dewey significa, em última instância, contínua reconstrução da experiência; e, por fim, que deve a escola ser uma comunidade em miniatura que reproduza no seu interior aspectos fundamentais da vida social sem se desligar desta vida social mais ampla. Este prefácio e o estudo preliminar de Anísio Teixeira são textos que servem como ótimas introduções ao pensamento educacional de Dewey, principalmente para entendimento de como ele foi assimilado por volta dos anos 1930 no Brasil e daí em diante.

### *Experiência e Educação*

Obra na qual Dewey procura esclarecer alguns entendimentos a respeito da Escola Nova ou Escola Progressiva que, segundo ele, geravam mal-entendidos e interpretações errôneas. No capítulo primeiro aponta com clareza o que julga criticável na denominada educação tradicional e as características da denominada educação nova ou progressiva alertando para os perigos das simplificações quer na apresentação das críticas, quer na apresentação das propostas novas. Nos excertos de textos desta publicação consta este primeiro capítulo. Reforça, nos capítulos 2 e 3, seu entendimento de experiência e reafirma a íntima ligação da educação com a experiência: na verdade, a coincidência entre educação e a contínua reorganização bem pensada da experiência tendo em vista a maneira inteligente de agir. Discute, nos capítulos 4 e 5 sobre liberdade e autoridade e controle social e indica aplicações dessa discussão à educação. No capítulo sexto trata da importância de haver propósitos claros, mas também compartilhados por educadores e pelos alunos, por exemplo, na educação escolar. No capítulo sétimo trata da organização dos conteúdos de estudos nas escolas e propõe que o sejam de maneira progressiva, partindo das experiências mais próximas dos alunos para que cheguem a entendimentos mais amplos próprios daqueles das pessoas mais amadurecidas no conhecimento científico. O último capítulo reitera com ênfase que os meios e a meta da educação são sempre a experiência, ou seja, a vida humana.

***A Valoração nas Ciências Humanas***

O livro traz dois ensaios de Dewey que não tratam especificamente da educação, mas auxiliam na melhor compreensão de seu pensamento. São eles: "Condições Lógicas para um Tratamento Científico da Moralidade" e "Teoria da Valoração". Além disso, traz um bom texto no Prefácio, "Conhecimento e Valor", de Luiz Henrique de A. Dutra. O livro é organizado por Marcus Vinicius Cunha, Ana R. Lucato Cianflone e Erika N. F. de Andrade, que também traduziram os textos.

***Lógica, Teoria dell'Indagine***

Tradução italiana de Logic: The Theory of Inquiry (1938). Não há tradução em português, a não ser do Capítulo 6: "O Padrão de Investigação" que se encontra na coleção Os Pensadores (trad. Murilo O. R. Paes Leme. São Paulo: Abril Cultural, 1974, v. XL, p. 211-244). Ainda que o título da obra possa levar o leitor a imaginar um tratado de Lógica no sentido usual do termo, trata-se, na verdade, de obra sobre a investigação e a maneira de se a desenvolver para a produção de conhecimentos que possam ser auxiliares eficazes na orientação das condutas. Aldo Visalberghi, na Introdução à tradução italiana, lembra que mais do que à Lógica em sentido estrito, interessa a Dewey a metodologia da investigação. Pois a investigação é o grande caminho para a superação das situações duvidosas ou problemáticas que ocorrem no contínuo da experiência humana, diz Dewey. Aprender a investigar é fundamental para uma vida boa. Pensamento reflexivo, para Dewey é o próprio pensamento investigativo. Daí o esforço que faz nesta obra de maturidade por apresentar a lógica como uma teoria da investigação. A Lógica e seus recursos são instrumentais no processo de investigação. Dewey aponta isso nesta obra.

***Reconstrução em Filosofia***

Este livro teve sua primeira edição em 1919 como resultado de conferências feitas na Universidade Imperial do Japão e foi reeditado em 1948, contendo uma Introdução de 26 páginas que não havia na edição anterior. Seu propósito foi o de apresentar os novos tipos de problemas filosóficos oriundos dos novos tempos, pois, como Dewey diz, os problemas e campo de estudo da filosofia "brotam das pressões e solicitações que se manifestam na vida de comunidade, em cujo seio surge determinada forma de filosofia", vindo daí variação nos seus problemas específicos. Aponta mudanças ocorridas nas concepções de filosofia e fatores que as provocaram e os efeitos dessa reconstrução filosófica na filosofia social.

## OBRAS SOBRE DEWEY

***John Dewey e o ensino da arte no Brasil, de Ana Mae Barbosa***

Este é um estudo sobre Dewey, mais especificamente sobre John Dewey e o ensino da arte no Brasil. Traz a tradução de uma conferência de Dewey ("Cultura e Indústria na Educação") e capítulos sobre as influências do pensamento de Dewey na educação brasileira, além de extensa indicação bibliográfica.

O livro se reporta a uma obra de Dewey, Ars as Experience, da qual há em português apenas a tradução de um capítulo publicado em Os Pensadores (W. James, J. Dewey, T. Veblen. São Paulo: Abril Cultural, 1974, v. xl, pp. 245-263).

***Dewey: Filosofia e Experiência Democrática, de Maria Nazaré de C. Pacheco Amaral***

Conforme diz a autora, este livro não foge aos aspectos educacionais, grande preocupação de Dewey, ainda que coloque em primeiro plano o aspecto filosófico de seu pensamento. Nele a autora procura mostrar que, para Dewey, a democracia age como ideia diretriz, guia ou orientação para a vida humana e, por conseguinte, também para a educação. Em quatro capítulos são indicadas raízes do princípio de continuidade tão caro a Dewey; é mostrado como ele substitui a ideia de certeza absoluta pela da necessidade de busca de segurança prática nas ações e em suas consequências e como isso implica o método da inteligência tal como Dewey o entende.

John Dewey: Uma Filosofia para Educadores em Sala de Aula, de Marcus Vinícius da Cunha

Nesta obra pretende-se, como diz o autor, trazer à luz um pensamento filosófico-educacional que foi elaborado a partir da realidade do educador em sala de aula. Apresenta, no primeiro capítulo, uma síntese da biografia de Dewey, buscando situá-la no contexto de vida do autor; no segundo capítulo, aborda as teses filosóficas, especialmente aquelas sobre a natureza do conhecimento e as relações dessas teses com outras teorias que são objeto de críticas por parte de Dewey; no capítulo terceiro, traz as teses educacionais de Dewey, que não se descolam de suas teses filosóficas. Diz que este capítulo toma como base fundamentalmente a obra de Dewey, Democracia e Educação. Por fim, no quarto capítulo, é feita uma apresentação de alguns aspectos específicos de posições educacionais de Dewey como, por exemplo, a sua visão da natureza socializadora da educação e o valor que ele dava aos conteúdos das matérias escolares nas quais estão consolidados saberes produzidos pela humanidade. Traz, também, um excerto do sétimo capítulo de Experiência e Educação, de Dewey, cujo título é: "A Organização Progressiva das Matérias de Estudo."

***Conhecimento, Valor e Educação em John Dewey, de Maria Izabel Moraes Pitombo***

Este livro traz uma contribuição importante para a compreensão do pensamento do filósofo norte-americano. Apresenta uma biografia de Dewey e uma exposição de seu pensamento relativo aos três aspectos mencionados no título e uma análise crítica desse pensamento à luz das convicções da autora.

***Pequena Introdução à Filosofia da Educação: A Escola Progressiva ou A Transformação da Escola*, de Anísio Teixeira**

Tem-se aqui uma exposição dos fundamentos da teoria da educação baseada na experiência que, como é dito, dirige o movimento de reconstrução educacional de seu tempo. Afirma filiar-se ao grupo dos que reconhecem Dewey como a principal figura desta maneira de pensar a educação. No primeiro capítulo trata da controvérsia entre os conservadores e renovadores da educação, apontando ser difícil qualquer movimento renovador nas sociedades. No segundo capítulo fala das transformações por que passa a escola, ligadas às transformações da sociedade. Indica diretrizes para a nova realidade educacional no terceiro capítulo, focando-as em três eixos: a criança como centro da escola, reconstrução dos programas escolares e obediência a uma organização psicológica das matérias de estudo. No quarto capítulo enfoca a relação entre educação e sociedade e no quinto capítulo apresenta uma crítica aos princípios da moral tradicional. O último capítulo trata da relação entre filosofia e educação.

***Os Pioneiros do Pragmatismo Americano*, de John R. Shook**

Escrito para o público brasileiro de acordo com informação de Ghiraldelli, traz uma boa visão dos pensadores clássicos do Pragmatismo: Charles S. Peirce, William James e John Dewey. Tem uma introdução que trata do tema Pragmatismo e Verdade, pois, como é dito aí, o pragmatismo é fundamentalmente uma teoria do conhecimento. Situa o leitor no contexto do qual Dewey fez parte e traz 74 páginas sobre o próprio Dewey.

# *Referências bibliográficas*

Amaral, M. N. C. P. Dewey: Filosofia e Experiência Democrática. São Paulo: Perspectiva/Edusp, 1990.
Barbosa, Ana Mae. John Dewey e o Ensino da Arte no Brasil. 5ª ed. São Paulo: Cortez, 2002.
Cunha, M. V. John Dewey: Uma Filosofia para Educadores em Sala de Aula. Petrópolis: Vozes, 1994.
Dewey, J. "A arte como Experiência". In: Dewey, J., James, W.; Veblen, T. William James, John Dewey, Thorstein Veblen, v. xl. São Paulo: Abril Cultural, 1974 (Os Pensadores).
Dewey, J. "Experience and Nature". In: Boydston, J. A. (ed.). John Dewey, The Latter Works (1925-1953): Vol. 1. Carbondale: Southern Illinois University, 1981.
Dewey, J. "Human Nature and Conduct". In: Boydston, J. A. (ed.). John Dewey, The Latter Works (1899-1924), v. 14. Carbondale: Southern Illinois University, 1983.
Dewey, J. "My Pedagogic Creed". In: Dewey, J. John Dewey – Early Essays, v. 5. Carbondale and Edwardsville: Southern Illinois University Press; London and Amsterdam: Feffer & Simons, Inc., 1972.
Dewey, J. "What I Believe". In: Hickman, Larry A.; Alexander, Thomas M. (eds.). The Essential Dewey, v. 1. Bloomington and Indianapolis: Indiana University Press, 1998.
Dewey, J. A Valoração nas Ciências Humanas. Trad. Marcus V. da Cunha, Ana Raquel L. Cianflone, Erika N. F. de Andrade. Campinas: Autores Associados, 2009.
Dewey, J. Arte como Experiência. Trad. Vera Ribeiro. São Paulo: Martins Fontes, 2010.
Dewey, J. Como Pensamos: Como se Relaciona o Pensamento Reflexivo com o Processo Educativo. 3ª ed. Trad. Haydeé C. Campos São Paulo: Companhia Editora Nacional, 1959.
Dewey, J. Como Pensamos: Como se Relaciona o Pensamento Reflexivo com o Processo Educativo: uma reexposição. 4ª ed. São Paulo: Nacional, 1979.
Dewey, J. Democracia e Educação. 3ª ed. Trad. Godofredo Rangel e Anísio Teixeira. São Paulo: Nacional, 1959.
Dewey, J. Democracia e Educação: Capítulos Essenciais. Apresentação e comentários de Marcus Vinicius da Cunha. Trad. Roberto Cavallari. São Paulo: Ática, 2007.

Dewey, J. Experiência e Educação. Trad. Anísio Teixeira. São Paulo: Nacional, 1971.
Dewey, J. "Experiência e Natureza". In: Dewey, J., James, W.; Veblen, T. William James, John Dewey, Thorstein Veblen, v. xl. São Paulo: Abril Cultural, 1974 (Os Pensadores).
Dewey, J. La Busca de la Certeza un Estudio de la Relación entre el Conocimiento y la Acción. Trad. Eugenio Imaz. Mexico: Fondo de Cultura Económica, 1952.
Dewey, J. Lógica ou Teoria da Investigação. In: Dewey, J., James, W.; Veblen, T. William James, John Dewey, Thorstein Veblen, v. xl. São Paulo: Abril Cultural, 1974 (Os Pensadores).
Dewey, J. Lógica, Teoria dell'Indagine. Trad. Aldo Visalberghi. Torino: Giulio Einaudi Editore, 1974.
Dewey, J. Reconstrução em Filosofia. Trad. António P. de Carvalho. 2ª. ed. São Paulo: Nacional, 1959.
Dewey, J. The Influence of Darwinism on Philosophy and Other Essays. New York: Prometeus Book, 1997.
Dewey, J. Vida e Educação. Tradução e estudo preliminar por Anísio Teixeira. 8ª ed. São Paulo: Melhoramentos, 1973.
Dutra, L. H. A. "John Dewey: Conhecimento e Valor". In: Dewey, J. A Valoração nas Ciências Humanas. Trad. Marcus V. da Cunha, Ana Raquel L. Cianflone, Erika N. F. de Andrade. Campinas: Autores Associados, 2009.
Dutra, L. H. A. Oposições Filosóficas: A Epistemologia e suas Polêmicas. Florianópolis: UFSC, 2005.
Goodman, R. B. "Duas Genealogias da Ação no Pragmatismo". Trad. Luís Louceiro. 9º Encontro Internacional sobre o Pragmatismo, Centro de Estudos do Pragmatismo, Departamento de Filosofia, PUC-SP, 2006. Disponível em: <www.pucsp.br/pos/filosofia/Pragmatismo/eventos/9enc_prag/9enc_1_conf_trad_goodman.pdf>. Acesso em 30/01/2011.
Hansen, D. T. "Dewey's Book of the Moral Self". In: Hansen, D. T. (ed.), John Dewey and our Educational Prospect: a Critical Engagement with Dewey's Democracy and Education. New York: State University of New York, 2007.
Hansen, D. T. "Retratos de uma Educação Cosmopolita para a Contemporaneidade". Educação e Cultura Contemporânea, v.

5, n 9, [extra], 2008, pp. 33-44.
James, W. Pragmatism: a New Name for Some Old Ways of Thinking. Charleston: Bibliobazaar, 2007.
Menand, L. The Metaphysical Club: a Story of Ideas in America. Nova York: Farrar, Straus and Giroux, 2001.
Moreira, C. O. F. Entre o Indivíduo e a Sociedade: um Estudo da Filosofia da Educação de John Dewey. Bragança Paulista: edusf, 2002.
Murphy, J. O Pragmatismo: de Peirce a Davidson. Porto: Asa, 1993.
Pitombo, M. I. M. Conhecimento, Valor e Educação em John Dewey. São Paulo: Pioneira, 1974.
Schilpp, P. A. The philosophy of John Dewey. New York: Tudor Publishing Company, 1951.
Shook, J. R. Os Pioneiros do Pragmatismo Americano. Trad. De Fábio M. Said. Rio de Janeiro: DP&A, 2002.
Teixeira, A. "A Pedagogia de Dewey". In: Dewey, J., James, W.; Veblen, T. William James, John Dewey, Thorstein Veblen, v. xl. São Paulo: Abril Cultural, 1974 (Os Pensadores).
Teixeira, A. Pequena Introdução à Filosofia da Educação: A Escola Progressiva ou a Transformação da Escola. São Paulo: Nacional, 1975
Valdemarin, V. T. História dos Métodos e Materiais de Ensino: a Escola Nova e seus Modos de Uso. São Paulo: Cortez, 2010.